T. Marin A. Albano

PROGETTO ITALIANO Junior 2

for English speakers

An Italian course for teenagers

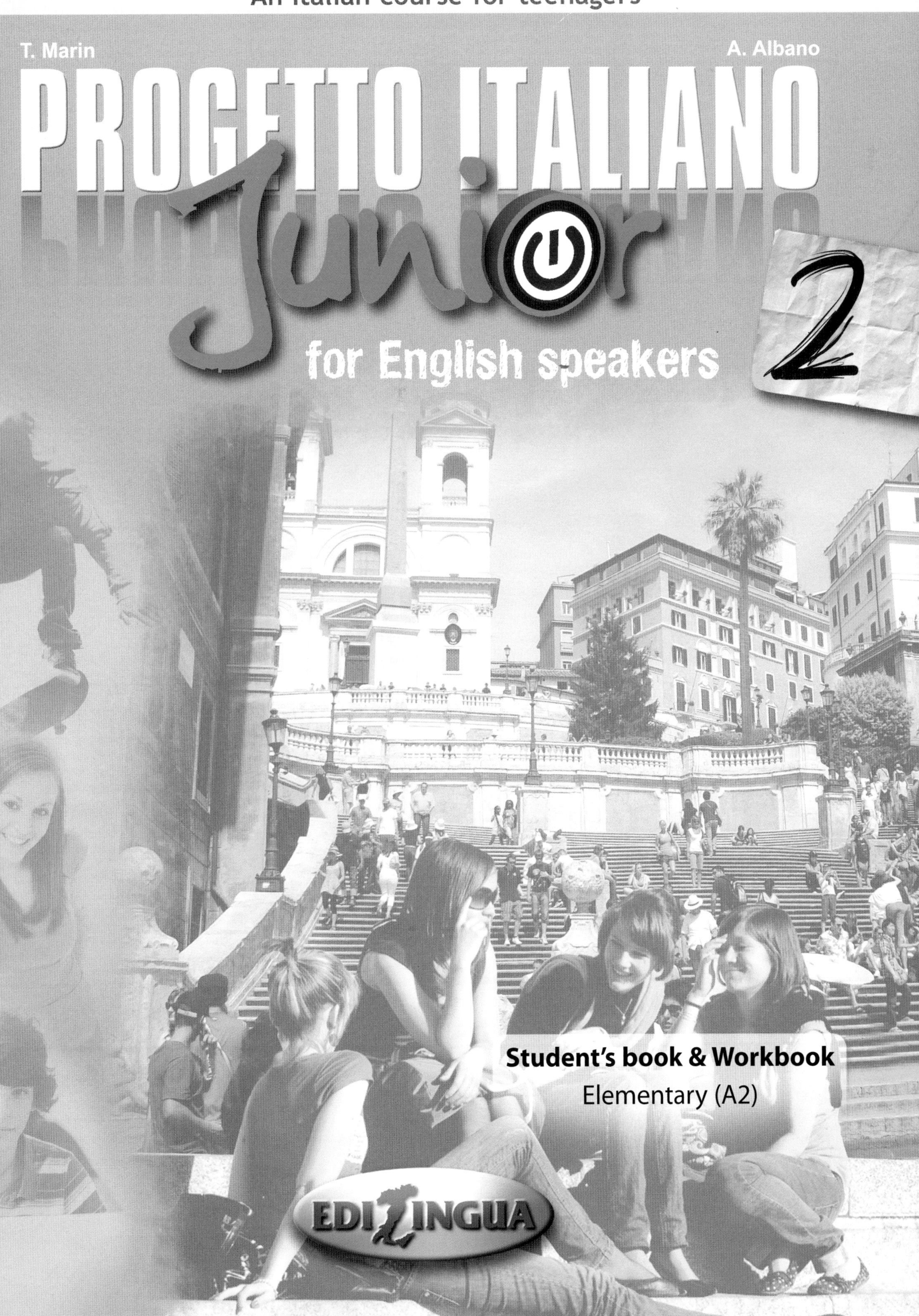

T. Marin, after graduating in Italian Studies, obtained a Masters degree in Didactics of Italian as a Foreign Language (ITALS) from Ca' Foscari University in Venice, and developed his experience teaching Italian in a variety of language schools. He is the director of Edilingua and the author of several Italian language learning books: *Progetto italiano 1, 2* and *3* (Student's book), *La Prova Orale 1* and *2*, *Primo Ascolto*, *Ascolto Medio*, *Ascolto Avanzato*, *l'Intermedio in tasca*, *Vocabolario Visuale* and *Vocabolario Visuale - Quaderno degli esercizi*; he is also co-author of *Nuovo Progetto italiano Video* and *Progetto italiano Junior Video*. He has held numerous seminars and trained teachers all over the world. He designed the entire *Progetto italiano Junior* course and edited the Student's book.

A. Albano graduated from IULM University in Milan with a degree in Foreign Languages and Literature and currently teaches Italian at Gulf Coast High School in Naples, Florida. She was named National Italian American Foundation Teacher of the Year 2004/2005 - Collier County Teacher of Distinction, and has held a number of seminars in the United States.

The authors and publisher would like to thank all those teachers who, by looking at and trying the book in class, helped us produce the final version. In particular, Flavia Fornili, who teaches at the Scuola Media Statale L. Majno in Milan.
Finally, special thanks to the editors and designers for their hard work and commitment.

to my daughter
T. Marin

to my son Massimo Andrea
A. Albano

Headquarters
Via Paolo Emilio, 28 00192 Rome, Italy
info@edilingua.it
www.edilingua.it

Depot and Distribution Centre
Moroianni Street, 65 12133 Athens, Greece
Tel. +30 210 5733900
Fax +30 210 5758903

Thanks to the adoption of our books, Edilingua adopts at distance children that live in Asia, Africa and South America. Because together we can do a lot against poverty!

1st edition: March 2011
ISBN: 978-960-693-074-4
Editing: A. Bidetti, M. Dominici, L. Piccolo
Translation: Beatrice Notarianni
Layout and graphics: Edilingua / Photos: Edilingua archive
Illustrations: M. Valenti
Audio and video recordings: *Autori Multimediali*, Milan
Texts and activities to accompany the DVD: M. Dominici, T. Marin

The authors would value your suggestions, feedback and comments about the book (to be sent via email to redazione@edilingua.it).

A specialist translation company (*Pantaservice group*, Ancona) was commissioned to translate the glossary. However, because we acknowledge that nothing can ever replace direct experience in the classroom, we invite feedback from teachers on how we can improve the glossary by pointing out any entries that need correcting, or by making suggestions.

Preface

The purpose of this book, in our opinion, is to fill a major gap in the Italian as a foreign language textbook market. Although *Progetto italiano Junior* is not the first course aimed at teenagers and older children, we believe (and it was certainly our objective) that it isn't merely a textbook modified for use by this age group, but that it has been *specifically* designed and created for them. And in our opinion, that makes an enormous difference. Indeed, the course is characterised by its continual references to the reality of daily life as experienced by young people today: artists, books, athletes, music, customs, hobbies, and so on. These references permeate all the units, stimulating students to develop an active interest in Italian culture and language.

How (and why) we set about achieving our objective

Every venture begins with an idea. Our idea, which was to produce a youth version of a textbook that has achieved huge international success, was born and took shape as a response to requests from numerous colleagues who have used *Nuovo Progetto italiano* with classes of teenagers for years. Teachers have repeatedly asked us for a version more suited to this particular age group. Edilingua always takes the views of Italian teachers seriously, so the first stage in the process was to gather feedback: a questionnaire, completed by hundreds of colleagues working around the world, allowed us to get a better understanding of their needs and of those of their students. Because, of course, people who teach teenagers know better than anyone else that their requirements are not the same as those of adults. Having analysed the data, and after much contemplation, it soon became clear that it would not be enough to simply make a few minor changes – at least not if a *truly effective book* was the required outcome. The next step was to analyse large amounts of material; in addition to websites and magazines for young people, we also looked at other textbooks (English, Spanish, French, German and Italian courses). As a consequence we amassed many ideas, which we assessed, condensed, adapted and personalised based on our experience in teaching Italian to teenagers. The result was a book with a unit structure that satisfied not just us, the authors, but everyone else involved (including the publishing editors).
The compilation of the book (which took several months) was followed by a period of testing and critical appraisal by colleagues in various countries, teachers in secondary schools. Their much appreciated feedback allowed us to revise and refine the content of the book you are now holding.

The book's philosophy

We have tried to find a solution to the problems associated with teaching teenagers and older children, by producing material that is highly motivating. This has been achieved by employing a wide variety of techniques and activities, requiring briefer and less demanding input (the tasks are always "achievable challenges"). The philosophy is one of discovery when exploring each new element (grammar, lexis, communication, etc.); game activities have been created that are easy to understand and fun to do. A fundamental decision was to create a comic strip story that continues through all 18 units of the course. The story follows five main characters, a mix of boys and girls, who are complete individuals that students can identify with. The characters have the same interests as them, face the same problems, share the same concerns and experiences, and speak the way young people speak. The finished product is realistic, with just the right amount of humour.
Each unit is divided into two shorter units (or learning units), which in turn are subdivided into sections. Each of the two shorter units has its own structure and can stand alone, but remains linked to the other by the subject matter. For this reason we have called them "Part One" (Prima parte) and "Part Two" (Seconda parte), with each consisting of an aspect of Italian life and a comic strip. The purpose of the subdivisions is to make learning a more gradual process, in keeping with the spirit of a humanistic-affective approach. At the end of each unit there are some general self-assessment exercises.
The purpose of the *Progettiamo!* section, within the teen magazine *Conosciamo l'Italia* at the end of each unit, is to make students work together on brief, practical tasks. They communicate in Italian, putting into practice what they have learned by doing activities that embody the principles of *task based learning* and the Common European Framework of Reference for Languages. The purpose of the online activities, which can be found on the Edilingua website, is much the same.

What's new?

Based on the feedback we received it was clear that many elements of *Nuovo Progetto italiano*, above all its philosophy and structure, needed to be carried over into the youth edition. It would not have been a very clever move on our part to throw out ideas that had proven to be effective and largely well received. But we did not stop there. *Progetto italiano Junior* is not a "simplified" version of the original, but is a course that has been devised and created with young students in mind; it respects their learning patterns, their learning needs and, above all, their interests.

Aside from the features already mentioned, let us examine in more detail what *Progetto italiano Junior* has to offer: the sections on Italian life are structured like a teen magazine, with the news and information that interests teenagers; the grammar appendix (*Grammatica@junior*) explains each aspect of grammar studied clearly and concisely; very modern, dynamic graphics, designed to appeal to this age group, strike the right balance between comic strips and photos. Additionally a colour workbook, packed with a varied range of game activities, has been combined with the student's book to produce one, single volume; the glossary, available on line, is multilingual (English, French, German, Spanish and Portuguese) making the course particularly suited to students from a wide range of countries; and, in addition to the listening texts, the audio CD contains dialogues and various authentic interviews with Italian teenagers to give students the opportunity to hear the opinions, feelings and experiences of their peers, as well as a variety of accents.

Finally, the video activities section (after the workbook in the book) creates a direct link between the textbook course and the three *Progetto italiano Junior Video* DVDs. The activities relate to the three components of the DVD: film clips, interviews and quizzes. Following the same lexical and grammatical progression as the book, each film clip is a short story that usually takes place between the two dialogues of each unit, thereby completing them. In short, the clip can be watched either during the unit (as is suggested in the book) or as a stand-alone film as and when the school timetable allows. Either way, it remains pertinent and of educational value.

Progetto italiano Junior isn't just a book, an audio CD, a set of DVDs and a Teacher's guide, however. Additional materials are also being planned and prepared (including a music blog), which we feel will make your lessons easier and more stimulating. These will eventually attract more young people to the Italian language, or keep them interested in pursuing the language for longer. Stay connected to the Edilingua website, not only to access this material, but to send us your comments and ideas; let us know what you think of the *Junior series*, and whether there are other teaching materials you need.

Grazie e buon lavoro!
The authors

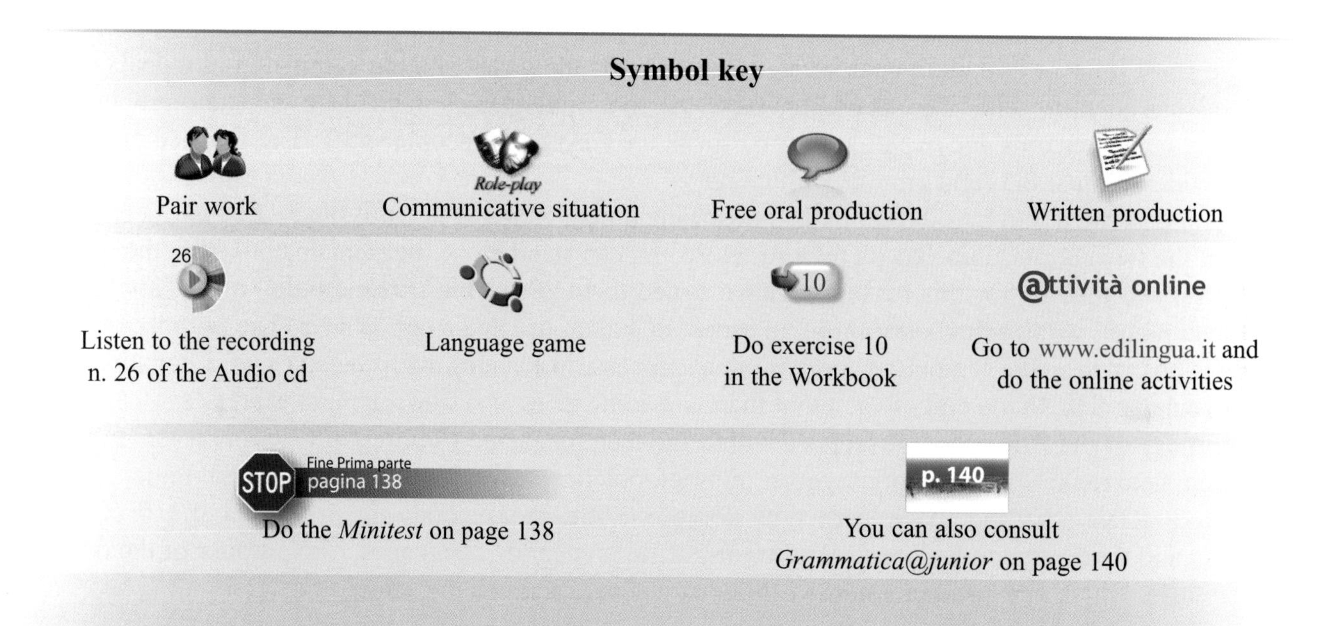

Prima di... cominciare

Glossary on page 159

1 **Match each sentence to its function.**

1. Mi dispiace, ma non posso.
2. ...e alla fine siamo andati al cinema!
3. Piacere, mi chiamo Paolo.
4. Volentieri!
5. Di dove sei?
6. A dopo!

a. presentarsi
b. rifiutare un invito
c. salutare
d. raccontare
e. accettare un invito
f. chiedere informazioni

2 **Complete the sentences with the correct definite article and the verb in the present tense.**

1. Giulia (*scrivere*) .... messaggini con .... cellulare.
2. Paolo (*chiacchierare*) .... con Dino durante .... lezione.
3. Paolo, cosa (*fare*) .... domani pomeriggio? (*venire*) .... al cinema con noi?
4. Giulia (*volere*) .... venire con noi, ma non (*potere*) .... perché non sta bene.
5. Chiara (*uscire*) .... con le amiche .... fine settimana.
6. Ragazzi, (*sapere*) .... a che ora comincia .... festa di Monica?

3 **Match the words below to the correct picture.**

1. panini 2. orologio 3. pane 4. torta
5. cornetto 6. festa 7. burro 8. zaino

4 **Match the two halves of the sentences.**

1. Il cellulare è dentro
2. Alla festa ho ricevuto
3. Questa rivista non è mia,
4. Paolo e Dino vogliono
5. Il mio cellulare è scarico, posso
6. Gli occhiali sono vicino

a. guardare la tv.
b. lo zaino.
c. usare il tuo?
d. alla borsa.
e. è sua.
f. un sacco di regali.

5 **Complete the sentences using one of the words provided. Be careful, though: there are two extra words!**

secondo simpatica lezioni amica contorno
navigare appuntamento materie camera

1. Informatica e Storia sono le .... che preferisco.
2. Giulia è molto carina e anche ....
Camilla, invece, è antipatica.
3. I miei hobby? Giocare con i videogiochi e .... in internet.
4. – A che ora hai l'.......................... con Dino?
– Alle 10.20, ma Dino non arriva mai in orario.
5. – ...Allora, io non voglio la pasta, mangio solo un .... e un ....
– Sì, anch'io: va bene se prendiamo involtini alla romana e un'insalata?
6. Mia madre dice sempre che devo mettere in ordine la mia ....

6 **Complete the text, putting the verbs in brackets in the perfect tense.**

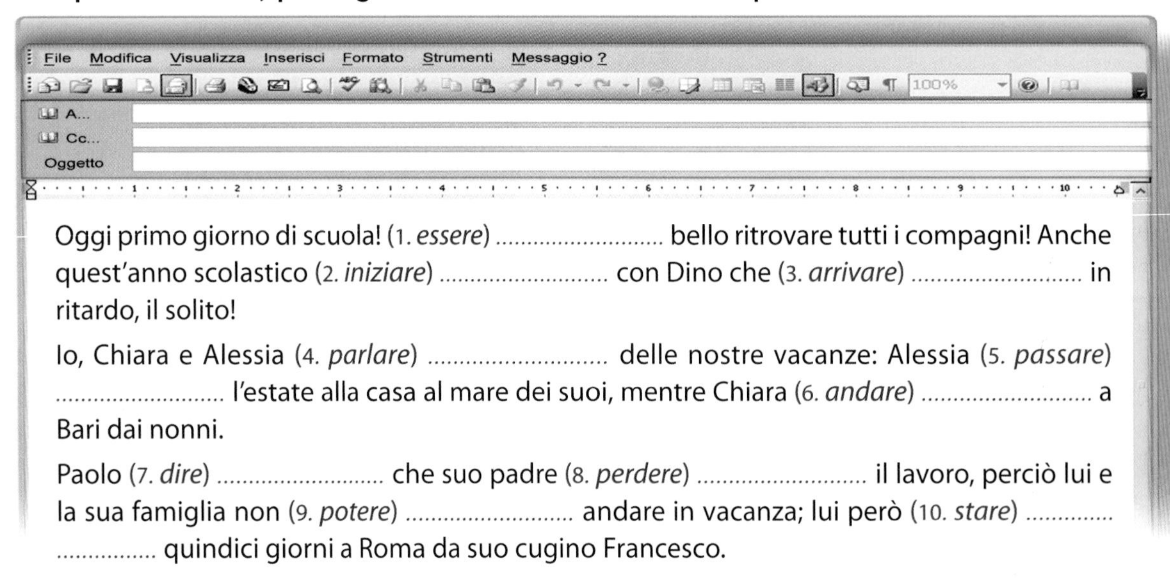

Oggi primo giorno di scuola! (1. *essere*) .... bello ritrovare tutti i compagni! Anche quest'anno scolastico (2. *iniziare*) .... con Dino che (3. *arrivare*) .... in ritardo, il solito!

Io, Chiara e Alessia (4. *parlare*) .... delle nostre vacanze: Alessia (5. *passare*) .... l'estate alla casa al mare dei suoi, mentre Chiara (6. *andare*) .... a Bari dai nonni.

Paolo (7. *dire*) .... che suo padre (8. *perdere*) .... il lavoro, perciò lui e la sua famiglia non (9. *potere*) .... andare in vacanza; lui però (10. *stare*) .... quindici giorni a Roma da suo cugino Francesco.

7 **What about you? How did you spend your summer? Describe briefly what you did.**

Check your answers on page 170 and... welcome to *Progetto italiano Junior 2*!

Per cominciare...

1 **Look at the following activities. Which of these are you likely to do at school?**

fare lezioni di guida

cantare in un concorso

organizzare una mostra

proteggere l'ambiente

fare il gemellaggio con un'altra scuola

fare lezioni di cucina

2 **Listen to the dialogue once. Which of the previous activities is being discussed?**

3 **Listen to the dialogue again and tick the statements that are true.**

1. Questa è la prima lezione dell'anno scolastico.
2. I ragazzi conoscono già i progetti extracurricolari dell'anno.
3. Il concorso musicale sembra suscitare interesse.
4. Si tratta di un concorso nazionale.
5. Dino pensa di essere il cantante del gruppo musicale.

in this unit... Glossary on page 159

1. ...we are going to learn to make plans, predictions, promises and suppositions, and to talk about the signs of the zodiac;

2. ...we are going to learn to use the future tense and the future perfect tense;

3. ...we will find information about extracurricular activities at Italian schools, and about astrology.

A Vinceremo noi!

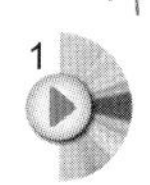

1 Read and listen to the text to check your answers to the previous activity.

2 Leggete.

Work with a partner. One of you will play the part of the teacher and the other will play the part of the students.

3 Work with a partner. Complete the sentences using the words highlighted in blue in the dialogue.

1. - Ti piace il mio vestito nuovo? - .... ! Quanto è costato?
2. - Bel tipo Gianni, no? - Sì, ..., molto simpatico!
3. Perché non andiamo a mangiare qualcosa... .... una bella pizza?
4. - Vuoi venire da me a studiare oggi? - ...., perché ho bisogno di aiuto.

4 Answer the questions.

1. Di quanti progetti extracurricolari parla il prof?
2. Perché ad Alessia piace l'idea del gemellaggio con una scuola straniera?
3. Perché a Chiara piace il progetto di educazione ambientale?
4. Come sarà il concorso musicale?
5. Perché Dino è ottimista per il concorso?

1

5 After class, Paolo and Dino discuss the music competition. Complete their conversation choosing words from the list provided.

Paolo: Ma tu hai capito come sarà questo concorso?

Dino: Certo, ogni scuola .... un gruppo musicale.

Paolo: Sì, ma dove?

Dino: Al concorso!

Paolo: Sì, ho capito, ma dove, in un'altra scuola, in un teatro?

Dino: Boh, non è importante. Quello che è importante è che .... noi!

Paolo: La nostra scuola?

Dino: Il nostro gruppo: Giulia, Alessia e Chiara .... qualche strumento e tu .... una canzone che ..sceglieremo.... tutti insieme.

Paolo: Hai già pensato a tutto, eh? Ma sul serio, ... tu il "manager" del gruppo?

Dino: Certo! Sai... interviste, cd, studio, viaggi, contratti. Le solite cose!

suoneranno *vinceremo* *sarai* *canterai* *sceglieremo* *manderà*

6 Complete the table and then the sentences that follow, as in the example.

Futuro semplice

	mandare	**scegliere**	**pulire**
io	manderò	sceglierò	pulirò
tu	manderai	sceglierai	pulirai
lui, lei, Lei	....	sceglierà	pulirà
noi	manderemo	sceglieremo	....
voi	manderete	....	pulirete
loro	manderanno	sceglieranno	puliranno

p. 141

A che ora *(tu-uscire)* di casa? ➪ *A che ora uscirai di casa?*

1. Secondo te, a Salvatore *(piacere)* uno di questi libri?
2. *(io-scrivere)* un'e-mail a Sara per raccontare tutta la verità.
3. Dario ha promesso che *(mettere)* in ordine la sua camera.
4. Ragazzi, quando *(finire)* i compiti?
5. Mamma, da grande *(io-diventare)* un famoso architetto!

2 - 5

7 Some verbs are irregular in the future tense. With a partner complete the irregular verb table below.

Futuro semplice
Verbi irregolari

essere	**avere**	**fare**
sarò	avrò	farò
sarai	avrai	farai
sarà	avrà	farà
....	avremo	faremo
sarete	....	farete
saranno	avranno	....

Other irregular verbs in the future tense can be found in the grammar section (page 141).

6

B Quando usiamo il futuro

1 Study the table and then match the pictures to the use of the future tense they represent.

1. Fare progetti	Quest'anno parteciperemo a un concorso musicale. Metterò dei soldi da parte per un nuovo cellulare.	
2. Fare previsioni	Secondo me, stasera pioverà. Diventerai un bravo avvocato!	
3. Fare ipotesi	- Che ore sono? - Saranno le 2. È giovane, non avrà più di vent'anni.	
4. Fare promesse	Va bene, domani finirò tutto! Hai ragione! Quest'anno studierò di più!	
5. Periodo ipotetico	Se domani farà bel tempo, andremo al mare. Se la Roma continua così, vincerà il Campionato.	

a. Se vai avanti così, non credo che supererai gli esami.

b. Da domani non farò più tardi!

c. Un giorno comprerò anch'io una Ferrari!

e. Andrea non viene con noi: avrà da fare!

d. Non sarà facile vincere oggi!

2 *In the future*... With a partner choose three of the following scenarios and, with the help of the words provided, make sentences that demonstrate the uses of the future tense you have been learning: predictions, suppositions, plans, promises, and conditional sentences. When you have finished, see how your answers compare to those of the other groups.

7 e 8

3 In your opinion, when will the scenarios described above happen, or be possible? Find out what your classmates think.

STOP Fine Prima parte pagina 138

A Saremo tutti delle stelle!

1 In your opinion, who says "saremo tutti delle stelle" and what does he or she mean? Read the dialogue to find out.

2 Close your books and listen to the dialogue once. Explain what is happening.

3 Listen to the dialogue again and answer the following questions.

1. Quali strumenti sanno suonare i ragazzi?
2. Chi di loro pensa al concorso con più entusiasmo?
3. Chi è invece meno convinto?
4. Secondo voi, cosa succederà alla fine?

4 Working with a partner, choose one of the expressions highlighted in blue in the text and try to make a sentence using it. When you have finished, compare your sentence with those of the other groups.

5 Towards the end of the dialogue on the previous page Dino says: "quando il concorso sarà finito, saremo tutti delle stelle". This is the future perfect tense. Let's look at some other examples.

Il futuro composto...

Federico verrà	dopo che (non) appena quando	avrò/avrai/avrà mangiato avremo/avrete/avranno studiato	sarò/sarai/sarà tornato/a saremo/sarete/saranno arrivati/e

...e il suo uso

passato prossimo	presente	**futuro composto**	futuro semplice
L'anno scorso *ho fatto* un viaggio.	Di solito *viaggio* in treno.	Dopo che *avrò finito* la scuola...	...*farò* un viaggio.
		1st action in the future	**2nd action in the future**

Note: It is the same if we say *Farò un viaggio* (2nd action) *dopo che avrò finito la scuola* (1st action).

p. 142

6 With your partner match each question to an answer. The answers need to be complete sentences, as in the example.

Quando torni? *(dopo che / finire)*
⇨ *Tornerò dopo che avrò finito.*

1. Quando andremo al mare?
2. A che ora verrà Giulio?
3. Quando diventerete famosi?
4. Non cambierai cellulare?
5. Verrai con noi sabato?

a. sì, se venerdì / prendere un buon voto
b. dopo che / finire l'inverno
c. sì, appena / raccogliere un po' di soldi
d. dopo che / vincere il concorso
e. dopo che / vedere la partita

9 e 10

B L'oroscopo

1 As we saw in the dialogue on page 13, Dino believes in horoscopes. What about you? Discuss what you think.

2 What are the signs of the zodiac called in Italian? With a partner, match the names given below to the correct image.

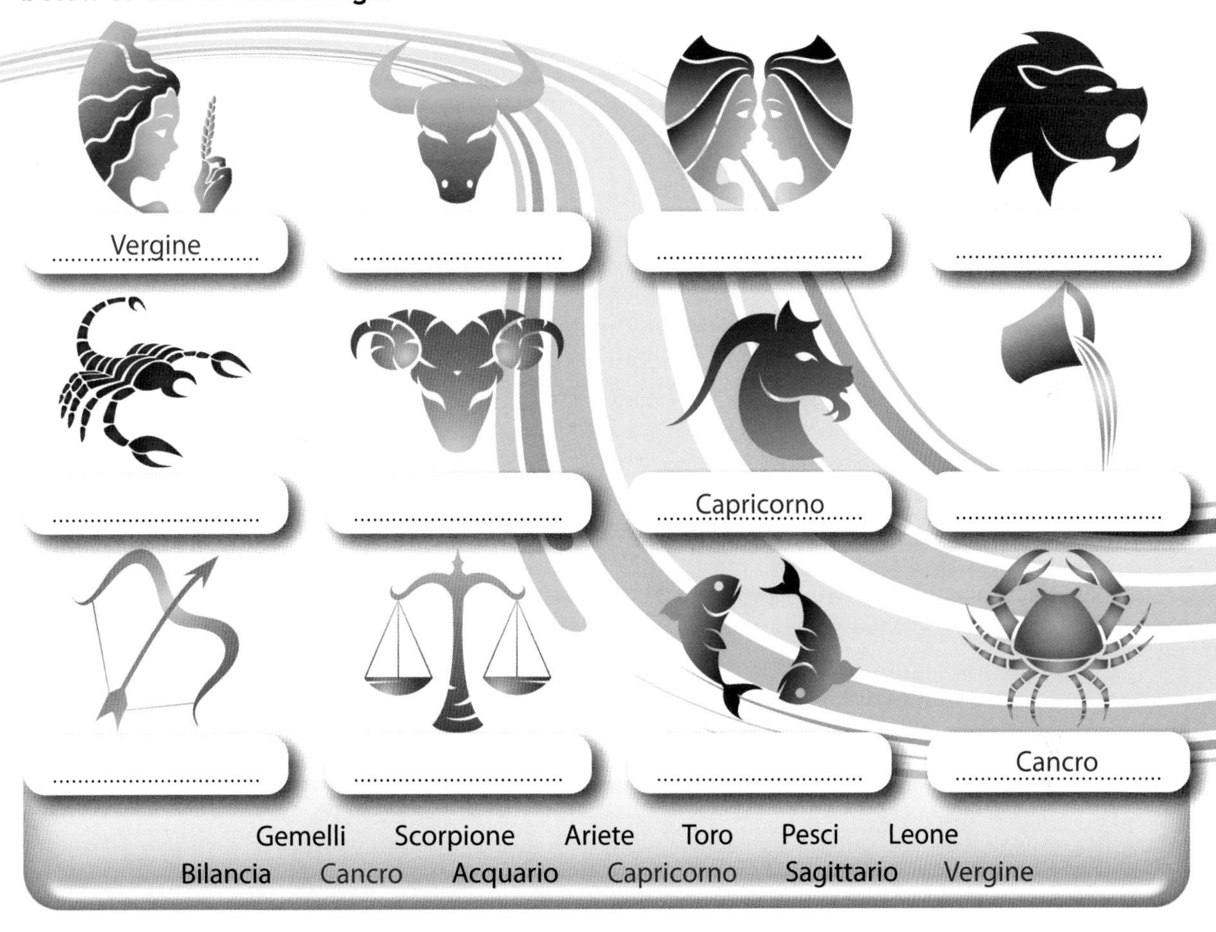

3 Listen to what the stars predict for six of the star signs and try to understand whether the predictions are positive or negative.

4 Listen again and complete the sentences below using two or three words. It isn't important to understand everything.

1. È il tuo periodo fortunato, ma ....
2. Arriva un periodo bellissimo dove avrai l'occasione di vedere ....
3. Questo è un mese particolarmente nervoso per te: fai attenzione a ....
4. Ottobre è un mese un po' difficile: soprattutto a scuola cerca di non ....
5. Avrai tanta voglia di fare ma le stelle non sono ....
6. Le stelle ti donano tante occasioni, ma .... sfruttarle.

C Che carattere!

1 **What star sign... do you think you are? Working with a partner, read the characteristics of each star sign (they are not in order). Choose the description that you feel describes you best. Ask your teacher for the meaning of any words you don't know.**

1

Sei indipendente e bravo a organizzare le cose. Sei un leader naturale.

2

Monica Bellucci

Sei amichevole e gentile. Sai quando non insistere e hai buoni rapporti con gli altri.

3

Ti piace l'avventura. Sei ottimista, ma non ti piace quando gli altri ti dicono cosa fare.

4

Enzo Ferrari

Sei indipendente e creativo. Ma sei anche un po' timido con persone che non conosci bene.

5

Sei indipendente e lavori molto. In futuro vuoi fare molti soldi, ma non ami il rischio.

6

Sei realista e sai cosa puoi fare e cosa no. Gli altri sanno che possono contare sul tuo aiuto.

7

Sei creativo e hai una grande fantasia. Ti piace aiutare gli altri e sei molto romantico.

8

Sei sensibile e ami aiutare gli amici che hanno bisogno di te. Ti piace molto nuotare.

9

Sei una persona logica e stai attento a tutto quello che succede intorno a te. A volte giudichi troppo gli altri.

10

Sei amichevole, hai tanti interessi, ma non sempre finisci quello che cominci.

11

Sei coraggioso e onesto. Non hai paura dei rischi e cambi idea molto difficilmente.

12

Sei forte e sai risolvere problemi. Agli altri piace stare con te, anche se a volte perdi la pazienza.

11

2 And now... find out in the box below (to the right of the page) which star sign each description actually refers to. How many of you got it wrong?

3 Let's play: you will each be given a number based on where you are sitting. The teacher will call out two numbers at random (for example, 4 and 12); the students with these numbers will have to talk briefly about their character, trying either to agree or disagree with the description for their star sign given in activity C1. Be careful, though: you will have to use the expressions given here on the right... and be honest!

chiedere conferma

Ma veramente...?
Ma sul serio...?
È vero che...?
Davvero...?
Ma dai!

confermare

Ma certo che...
Scherzi?
Chiaro!
Ti giuro...
Dico sul serio...

Esempio:

- Di che segno sei?
- Leone.
- È vero che sei indipendente e paziente?
- Ma certo! Sono sia indipendente che paziente. E tu...

12 e 13

D Abilità

1 **Ascolto** (turn to the Workbook, page 98)

2 **Parliamo**

1. Tornate a pagina 7. Quale di questi progetti extracurricolari ritenete più importante e utile e perché?
2. C'è qualche materia scolastica che ritenete meno utile di questi progetti extracurricolari? Quale e perché?
3. In questa unità abbiamo parlato anche di progetti futuri. Quali sono i vostri progetti per il futuro? Che cosa farete, dove sarete ad esempio fra 5 o 10 anni?
4. Quanti di voi credono veramente all'oroscopo? Chi di voi non ci crede per niente e perché?
5. Secondo lo zodiaco, con quali segni andate d'accordo e con quali no? La vostra esperienza conferma la teoria?
6. Secondo voi, la gente consulta l'oroscopo per abitudine, per curiosità, per paura del futuro?

Ariete: 11, Toro: 6, Gemelli: 10, Cancro: 8, Leone: 1, Vergine: 9, Bilancia: 2, Scorpione: 12, Sagittario: 3, Capricorno: 5, Acquario: 2, Pesci: 7

3 **Scriviamo**

Presto la tua classe/scuola parteciperà a un progetto extracurricolare che, secondo te, sarà molto interessante e divertente. Scrivi a un tuo amico italiano per spiegare che cosa farete e quale sarà il tuo compito. Inoltre, chiedi al tuo amico di simili progetti organizzati dalla sua scuola. *(60-80 parole)*

Test finale

Progetti extracurricolari

I progetti extracurricolari sono compresi nel Piano dell'offerta formativa (P.O.F.) di ogni scuola. Sono cioè progetti che ogni anno le scuole italiane autonomamente propongono ai propri studenti, che sono a loro volta liberi di scegliere quali preferiscono. Così, gli studenti possono usare un po' del loro tempo libero in modo costruttivo e creativo. Vediamo il P.O.F. di una scuola italiana:

PROGETTO	DESTINATARI	DURATA/ PERIODO	GIORNI	ORARIO
Il teatro a scuola	Alunni classi II III	novembre/dicembre	martedì/giovedì	15.30 - 17.30
Pianoforte	Alunni classe III	novembre	mercoledì	durata 2 ore
Danza sportiva	Alunni classi I II	novembre/maggio	mercoledì	15.30 - 17.30
Attività sportive	Alunni classi I II III	novembre/maggio	mercoledì	15.30 - 17.30
Educazione stradale	Alunni classi II III	novembre/gennaio	martedì	durata 2 ore
Laboratorio musicale	Alunni classi II III	novembre/maggio	martedì	15.30 - 17.00
Sensibilizzazione ambientale	Alunni classi I II III	durata complessiva 40 ore	lunedì/mercoledì/giovedì	durata 2 ore
Educazione all'alimentazione	Alunni classi I II III	novembre/marzo	giovedì	15.30 - 17.00
Il patentino a scuola	Alunni classe III	gennaio/maggio	giovedì	15.30 - 17.30

Non tutti sanno che... le attività extracurricolari sono nate nelle università americane nel 1800, inizialmente come società letterarie e squadre sportive.

L'astrologia

Al terzo posto delle parole chiave che gli italiani cercano più spesso su Google troviamo "zodiaco"! Inoltre, secondo una recente indagine, circa il 40% degli italiani dà una qualche fiducia all'astrologia, anche se molti di più leggono ogni tanto l'oroscopo su riviste, siti e blog. E tra questi, molti ragazzi e ragazze, queste ultime un po' di più.

Anche se le previsioni dello zodiaco non hanno una base scientifica, la gente ha bisogno di sapere di più sul proprio futuro. E l'oroscopo che abbiamo visto in questa unità, basato sull'astrologia dei babilonesi, non è certo l'unico: c'è anche quello cinese, quello celtico e quello dei Maya! Chissà se tutti prevedono le stesse cose! C'è, poi, chi crede nei tarocchi, nei bioritmi, nei numeri e così via! Ci sono perfino siti dedicati all'oroscopo degli animali domestici! Insomma, possiamo scegliere il futuro che ci piace di più. :)

1 **Go to the website for online @ctivities on extra-curricular activities and horoscope predictions.**

2 **Progettiamo!**

1 Dividetevi in piccoli gruppi (3-4 persone); ogni gruppo dovrà fare una ricerca in una classe diversa, compresa la vostra, e chiedere agli studenti quanto spesso consultano l'oroscopo e quanto ci credono. Inoltre, se prendono in considerazione le caratteristiche dei vari segni. Alla fine confrontatevi con gli altri gruppi e cercate di preparare una statistica per età e per sesso.

2 Lavorate a coppie e cercate di pensare o di... inventare almeno 3 progetti extracurricolari, secondo voi utili e interessanti, oltre a quelli che abbiamo visto nel corso dell'unità. Alla fine confrontatevi con altre coppie e votate il progetto più utile e quello più originale!

Quando si parla di previsione del futuro, un riferimento particolare merita **Nostradamus**, nato e vissuto in Francia nel sedicesimo secolo. Con le sue poesie, brevi e ambigue (come gli oroscopi moderni), è riuscito a prevedere tantissimi eventi della storia moderna!

What do you remember from Unit 1?

1. Sapete...? Match the two columns.

1. fare previsioni
2. chiedere conferma
3. fare progetti
4. confermare
5. fare ipotesi

a. Chiaro!
b. Mah, sarà andata a casa!
c. Credo che domani pioverà.
d. Ma veramente sei andato al concerto?
e. Tra un mese organizzerò una festa!

2. Match each question to a logical response.

1. Che strumento sa suonare Letizia?
2. Quale progetto organizza la tua scuola?
3. Quando verrà a scuola Matteo?
4. Davvero sei uscito con Sara?
5. Sei nato il 4 aprile?

a. Allora sei dell'Ariete!
b. Suona la batteria.
c. Ma certo, e più di una volta!
d. Un gemellaggio con un liceo francese.
e. Dopo che sarà tornato dal viaggio.

3. Complete the sentences.

1. Chi pensa al futuro in modo positivo è ....
2. La seconda persona singolare del futuro di *venire* è ....
3. Due segni zodiacali: ...., ...
4. Chi non parla molto con le persone che non conosce bene è ....
5. Prima persona plurale del futuro del verbo *bere* ....

4. Which word or expression is the odd one out?

1. creativo, indipendente, segno, coraggioso
2. Davvero?, Chiaro!, Ma sul serio?, Ma dai!
3. guarderemo, sarà venuto, leggerò, finirete
4. calcio, chitarra, batteria, basso

Check your answers on page 170.
Are you satisfied?

Le due torri, Bologna

Per cominciare...

1 **Which of these television programmes do you watch most often?**

2 **What is your favourite television programme? Find out what your classmates like to watch.**

6

3 **Listen to the answers that Paolo gives to Giulia and Alessia: what do you think they are talking about? What are the girls saying? Try to guess.**

7

4 **Now listen to the whole conversation and tick the three statements that are correct.**

1. Paolo ha perso l'ultima puntata di "Cantare".
2. Giulia passa molte ore davanti alla televisione.
3. Paolo sapeva qualcosa della trama di "Cantare".
4. Nel gruppo musicale c'erano due ragazze, Nadia e Sara.
5. Al concorso hanno cantato una canzone italiana.
6. Mario ha rifiutato il contratto perché non voleva fare il cantante.

in this unit... Glossary on page 160

1. *...we are going to learn to talk about and describe past events, to express agreement and disagreement, to talk about television programmes;*
2. *...we are going to learn to use the imperfect tense and the pluperfect tense, and the differences between the imperfect and perfect tenses;*
3. *...we will find information and trivia on Italian television and the viewing habits of Italians.*

A Un telefilm

1 With a partner try to add the missing lines to the conversation below, choosing from the options on page 23. When you have finished, listen to the dialogue to check your answers.

7

1. Ma queste cose succedono solo in tv!
2. Alla fine hanno vinto al concorso?
3. il telefilm più bello degli ultimi anni.
4. Così sono arrivati terzi!

2 Look for and underline the verbs in the dialogue that have a similar form to "sapevo".

3 **With a partner complete the following sentences using some of the words highlighted in blue in the dialogue.**

1. Ma .... hai cambiato di nuovo cellulare?! E perché?
2. - Luca voleva venire con noi al cinema, ma ha la febbre! - ...., il film è molto bello.
3. - Ragazzi, ho dimenticato i vostri test a casa, chiedo scusa! - ....!

4 **Answer the following questions.**

1. Perché Paolo non ha visto "Cantare"?
2. Di solito guardava questo telefilm?
3. Perché il gruppo non ha vinto il concorso?
4. Secondo voi, perché Paolo dice "Meno male che ho perso la puntata"?

5 **Complete the conversation between Dino and Paolo using the words provided.**

dovevano capivo credevo ricominciava era cantavano

Paolo: Tu hai visto ieri la prima puntata di "Cantare"?
Dino: "Cantare"? ...No. Ma sei sicuro che .....era.....(1) ieri la prima puntata?
Paolo: Certo, ...(2) di no, invece ho saputo da Giulia che ....(3) proprio ieri. E solo oggi ho capito com'è finito il primo ciclo: i ragazzi non hanno vinto, sono arrivati terzi!
Dino: Terzi?! Come terzi?!
Paolo: Ma sì, perché mentre ....(4) al concorso, Mario ha dimenticato le parole!
Dino: Ma quale concorso?! ....(5) partecipare a un concorso?!
Paolo: Certo, e nella puntata di ieri una casa discografica ha offerto a Mario un contratto. Ma lui ha rifiutato!
Dino: Rifiutato?! Ma se tutti partecipano a questo reality appunto per un contratto!
Paolo: Quale reality?
Dino: Ma "Cantare" non è il reality show di Canale 5?
Paolo: Ma no, è il telefilm che va in onda ogni domenica sera su Rai 1.
Dino: Ah, ecco perché non ci ....(6) niente! Ok, dicevi che Mario ha dimenticato il contratto...

6 Complete the table.

Imperfetto

	parlare		**leggere**		**dormire**	
	....		leggevo		dormivo	
	parlavi		leggevi		dormivi	
Mentre	parlava	guardavo la tv.	....	è arrivata Laura.	dormiva	ha telefonato Paolo.
	parlavamo		leggevamo		dormivamo	
	parlavate		leggevate		dormivate	
	parlavano		leggevano		....	

p. 142

7 Study the table and construct sentences as in the example.

Mentre *(io-mangiare)*, *(io-ascoltare)* la musica. ➪ *Mentre mangiavo, ascoltavo la musica.*

1. Ogni volta che *(loro-venire)* a casa *(loro-portare)* i dolci.

2. Dove *(tu-andare)* ieri mattina alle 11?

3. Ogni estate *(io-andare)* al mare con i miei.

4. Mentre mia madre *(preparare)* da mangiare, *(io-navigare)* su internet.

5. All'inizio non *(noi-volere)* uscire.

6. Mentre Anna *(pulire)* la sua camera, è arrivata sua cugina.

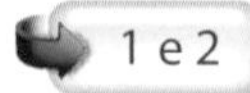
1 e 2

8 *Irregular verbs in the imperfect tense.* With a partner match the verbs in blue with their infinitive on the right (there are more infinitives than you need). In your opinion, which of the verbs on the right are irregular in the imperfect tense? Check your answers on page 143.

Mentre il giornalista traduceva la risposta...
Quando ero piccolo, andavo spesso...
Mio fratello diceva sempre che...
La settimana scorsa faceva un caldo...
Mentre bevevo un'aranciata...

essere	capire
tradurre	fare
dire	bere
dare	andare

3 - 5

B D'accordo?

1 Listen to the short dialogues and match them to the correct picture.

2 Listen to the conversations again and indicate below whether you think the person that replies agrees or disagrees.

	d'accordo	non d'accordo
1		
2		
3		
4		
5		
6		

3 Underline the expressions you heard.

Esprimere accordo	**Esprimere disaccordo**
Sono d'accordo (con te)!	*Non sono d'accordo!*
Sì, è proprio vero/così!	*Non credo.*
Sì, credo anch'io (lo stesso).	*No, non penso.*
Sì, lo penso anch'io.	*No, penso di no.*
Sì, è vero! / Hai ragione!	*Non è vero!*

6

4 *Role-play*

➲ You are person *A* and you are talking to person *B*. Express an opinion, with your reasons, on:

- *un programma televisivo che ti piace molto*
- *il tuo o la tua cantante preferito/a*
- *un vostro compagno di scuola*
- *la tua materia scolastica preferita*
- *un importante gruppo musicale*

➲ You are person *B* and you are listening to person *A*'s preferences: say whether you agree or disagree and explain why.

5 **In your opinion, when do we use the imperfect tense, and when do we use the perfect tense? Study the table below.**

Imperfetto o passato prossimo?

1. imperfetto	
• A past habitual action	*Di solito, andavo a scuola a piedi.*
• An action that at a given moment wasn't finished yet	*Ieri alle 10 dormivo.*
2. imperfetto + imperfetto	
• Actions that are simultaneous	*Camminava e parlava al telefonino.*
3. passato prossimo	
• An action that is complete	*Sono rimasto a casa tutto il giorno.*
4. passato prossimo + passato prossimo	
• A list of consecutive actions, all complete	*Ho chiamato Dino e abbiamo parlato a lungo.*
5. passato prossimo + imperfetto	
• An action in progress that is interrupted	*Mentre camminavo, ho incontrato Piero.*

p. 142

6 **Study the table above and then put the words below in the correct order to make sentences.**

1. ho visto aspettavo amico mentre un l'autobus
2. l'italiano ascoltavo studiavo musica mentre la
3. alle Gianna sera 8 era casa a ieri
4. mezzanotte la fino guardato ha Sofia a tv
5. Luca telefonato dormivo ancora ha quando

7 - 10

STOP Fine Prima parte pagina 138

Non ci avevo pensato!

1 Read the last frame on this page. In your opinion, why does Alessia think Dino is so important? Read the dialogue (which continues on page 28) to see if you are on the right track.

2 **Listen to the dialogue and check whether you are right. Listen again and tick the option that correctly completes each of the statements below.**

1. Paolo non può partecipare al concorso perché
   a. preferisce giocare a calcio
   b. ha un esame importante
   c. non ama i concorsi

2. Dino è l'unico tra i ragazzi che
   a. vuole partecipare al concorso
   b. canta bene
   c. crede che andranno in finale

3. Secondo Alessia, la soluzione è
   a. convincere Paolo a cambiare idea
   b. chiedere a Dino di convincere Paolo
   c. avere Dino come cantante

4. Dino
   a. non sembra apprezzare l'idea
   b. sembra sorpreso dell'idea
   c. aveva già pensato alla stessa cosa

3 **Look at these two sentences, taken from the previous dialogue: "non ci avevo pensato", "avevo deciso di partecipare al concorso". This is the pluperfect tense. In your opinion, when do we use it? Study the table below.**

Il trapassato prossimo

Quando sei arrivato	avevo / avevi / aveva avevamo / avevate / avevano	mangiato.	
L'anno prima	ero / eri / era eravamo / eravate / erano	stato/a stati/e	in Italia.

Uso del trapassato prossimo

trapassato prossimo	**passato prossimo**	**imperfetto**
a) Erano già partiti	quando siamo arrivati noi.	
b) Avevo dormito poco		e quindi ero stanco.
1st action in the past	2nd action in the past	

p. 143

The pluperfect tense is used for an action in the past that occurred before another action in the past. To convey this latter action either the perfect tense or the imperfect tense are used.

4 **Complete the sentences below using the correct combination of the words given.**

1. Quando sono arrivato alla fermata l'autobus...
2. Ho mangiato molto a pranzo perché non...
3. Non potevano entrare perché...
4. Ha acceso il televisore ma il programma...
5. Non sono venuti al cinema perché...

11 - 13

B Un salto nella storia

1 **Caesar and Cleopatra: a famous couple from the past. Which of these objects would they not have seen?**

○ telecomando ○ televisore ○ cellulare ○ rivista televisiva ○ antenna parabolica

2 **Actually... you have got them all wrong! Listen to the dialogue and try to understand which of the following programmes they are talking about.**

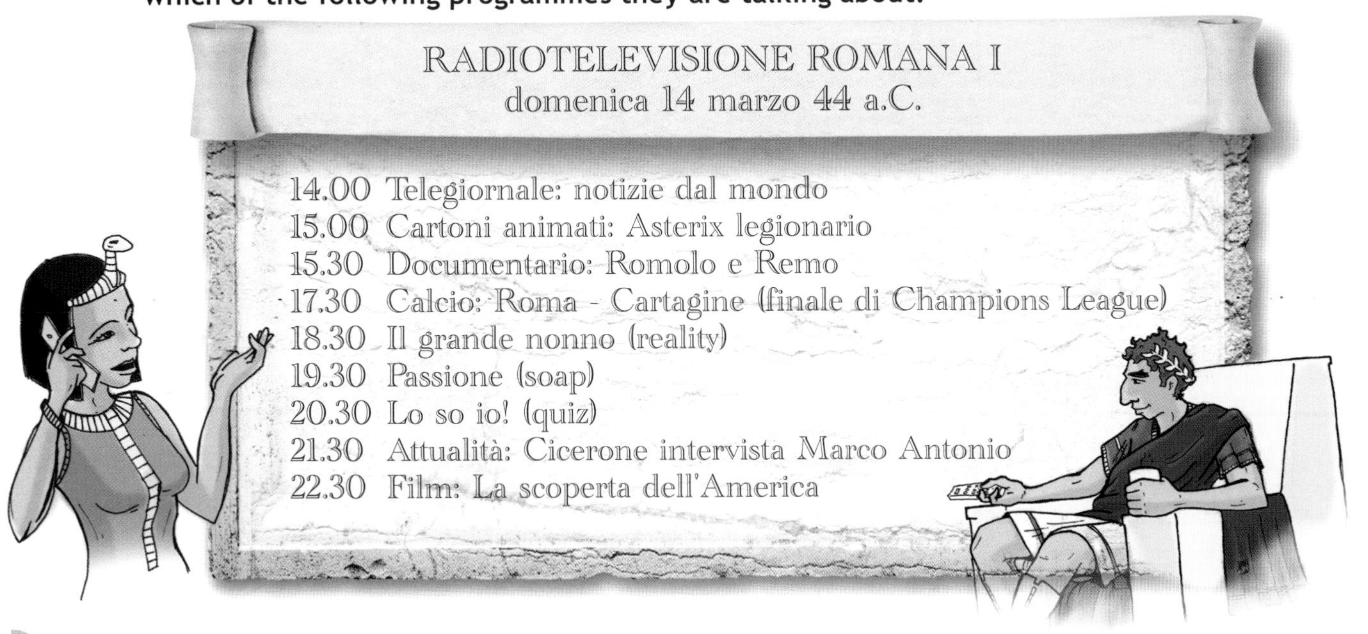

RADIOTELEVISIONE ROMANA I
domenica 14 marzo 44 a.C.

14.00 Telegiornale: notizie dal mondo
15.00 Cartoni animati: Asterix legionario
15.30 Documentario: Romolo e Remo
17.30 Calcio: Roma - Cartagine (finale di Champions League)
18.30 Il grande nonno (reality)
19.30 Passione (soap)
20.30 Lo so io! (quiz)
21.30 Attualità: Cicerone intervista Marco Antonio
22.30 Film: La scoperta dell'America

3 **Listen again and decide whether the following statements are true (V - *vere*) or false (F - *false*).**

1. Cleopatra non ha mai guardato la tv.
2. Lei e Cesare non sono d'accordo su Asterix.
3. Roma ha conquistato la Champions League.
4. A Cesare piacciono i reality.
5. Cesare non sa cos'è l'America.
6. Cesare creerà un nuovo canale.

4 With a partner choose one of the channels below and say whether your chosen channel broadcasts any of the following types of programme. If it does, at what time?

telegiornale | cartone animato | documentario | varietà | quiz

RAI UNO

6.00 Euronews. ATTUALITÀ.
6.10 Bontà sua. ATTUALITÀ.
6.30 Tg1 Telegiornale/Cciss
6.45 Unomattina. ATTUALITÀ. Regia di Giuseppe Sciacca. Con Eleonora Daniele, Michele Cucuzza.
Nel corso del programma:
- **Tg1** Mattina
- **Tg1** L.I.S.
- **Tg Parlamento**
- **Tg1** Focus
- **Tg1** della Storia
- **Tg1** Flash

10.00 Verdetto finale. ATTUALITÀ. Con Veronica Maya.
11.00 Occhio alla spesa
ATTUALITÀ. Regia di Salvatore Perfetto. Con Alessandro Di Pietro.
Nel corso del programma:
11.25 Che tempo fa
11.30 Tg1 Telegiornale
12.00 La prova del cuoco. VARIETÀ. Con Elisa Isoardi. *Alex Revelli Sorini ci conduce in un nuovo itinerario gastronomico alla scoperta dei sapori e dei saperi delle regioni italiane. Quest'oggi parla del Piemonte e più in particolare della zona del riso tra Novara e Vercelli. Come di consueto, Anna Moroni dà i suoi consigli per realizzare un grande piatto partendo da 2/3 semplici ingredienti, suggeriti dal pubblico al telefono, mentre la Maestra di Cucina di oggi è Susanna Badii. A fine puntata si sfidano Elisa Rivaroli e Marco Bottega, che saranno giudicati da Gianfranco Vissani.*
13.30 Tg1 Telegiornale/Focus
14.00 Tg1 Economia
14.10 Bontà sua. ATTUALITÀ. Con Maurizio Costanzo.
14.30 Festa italiana. VARIETÀ. Con Caterina Balivo.
16.15 La vita in diretta. ATTUALITÀ. Con Lamberto Sposini.
Nel corso del programma:
16.50 Tg Parlamento
17.00 Tg1 Telegiornale
17.10 Che tempo fa
18.50 L'Eredità. QUIZ. Regia di Maurizio Pagnussat. Con Carlo Conti.
20.00 Tg1 Telegiornale
20.30 Soliti ignoti. GAME SHOW. Con Fabrizio Frizzi.
21.10 Il Commissario Montalbano

RAI DUE

6.00 Cercando cercando. ATTUALITÀ.
6.20 Tg2 Sì viaggiare. ATTUALITÀ.
6.35 Nell'Alaska dei parchi fino al circolo polare artico. DOCUMENTI.
6.55 Tg2 Medicina 33. ATTUALITÀ.
7.00 Cartoon Flakes. VARIETÀ.
- **Zorro** TF «Il padre scomparso». *Cabrillo giunge in città per far visita al padre che non vede da quando è nata. La donna chiede indicazioni per arrivare in un ranch, che però nessuno ha mai sentito nominare. Anita attira l'attenzione di un piccolo gruppo di persone quando comincia a chiedere informazioni su Don Cabrillo, che pare nessuno conosca. In attesa che il mistero venga risolto, Diego decide di offrirle ospitalità.*

7.25 Kim Possible
7.50 Spectacular Spider-Man
8.15 I miei amici Tigro e Pooh
8.40 Mamma Mirabelle
8.50 Duck Dodgers
9.10 I Lunnis
9.20 Pocoyo
9.30 Protestantesimo. ATTUALITÀ.
10.00 Tg2 punto.it. ATTUALITÀ.
11.00 I fatti vostri. VARIETÀ. Con Giancarlo Magalli, Adriana Volpe.
13.00 Tg2 Giorno
13.30 Tg2 Costume e società. ATT.
13.50 Tg2 Medicina 33. ATTUALITÀ.
14.00 Il fatto del giorno. ATTUALITÀ. Con Monica Setta.
14.45 Italia sul Due. ATTUALITÀ. Con Lorena Bianchetti, Milo Infante.
16.10 La signora del West TF (3ª stagione) «Il ringraziamento». *A Denver, Sully e Mike incontrano Kid Cole e Sorella Ruth e li invitano a casa per festeggiare insieme il giorno del Ringraziamento. Ma, durante il viaggio di ritorno, vengono attaccati prima dai banditi e poi dagli indiani.*
16.55 Cuore di mamma. GAME SHOW. Con Amadeus, Laura Tecce.
18.05 Tg2 Flash L.I.S.
18.10 Tg Sport.
18.30 Tg2 Notizie
19.00 Secondo canale. VARIETÀ.
19.35 Squadra speciale Cobra 11
TF «Un giovane collega».
20.30 Tg2 Notizie
21.05 Voyager
«Ai confini della conoscenza». DOCU-

CANALE 5

6.00 Prima pagina
7.55 Traffico - Meteo 5
Borsa e monete. ATTUALITÀ.
8.00 Tg5 Mattina
8.40 Mattino cinque. ATTUALITÀ. Con Federica Panicucci, Paolo Del Debbio.
Nel corso del programma:
10.00 Tg5 - Ore 10
11.00 Forum. ATTUALITÀ. Con Rita Dalla Chiesa.
13.00 Tg5 Telegiornale
Gusto/Meteo 5
13.40 Beautiful SOAP Con Ronn Moss, Hunter Tylo, Katherine Kelly Lang, Jack Wagner, Kyle Lowder, Jacqueline MacInnes Wood, Jennifer Gareis, Susan Flannery. 5.606ª puntata. *Donna teme che Bill Spencer possa far pubblicare sulla copertina di «Eye on Fashion» le foto che la ritraggono ricoperta di miele sulla passerella. Katie incontra Bill a cena per tentare di convincerlo a non utilizzare le foto di Donna. Nel frattempo Steffy e Thomas decidono di lasciare soli Taylor e Ridge, perché possano trascorrere una serata romantica.*
14.10 CentoVetrine
SOAP Con Pietro Genuardi, Marianna De Micheli, Roberto Alpi, Luca Capuano, Eleonora Di Miele, Linda Collini, Massimiliano Vado, Stefano Davanzati.
15.45 Uomini e donne. REALITY. Con Maria De Filippi.
16.15 Pomeriggio cinque. ATTUALITÀ. Con Barbara D'Urso.
Nel corso del programma:
18.00 Tg5 - 5 minuti
18.50 Chi vuol essere milionario. QUIZ. Con Gerry Scotti.
20.00 Tg5 Telegiornale
Meteo 5
20.30 Striscia la notizia - La voce dell'influenza. VARIETÀ. Con Ficarra & Picone, Federica Nargi, Costanza Caracciolo.
21.10 Italia's Got Talent
TALENT. Con Simone Annicchiarico, Geppi Cucciari, Gerry Scotti, Maria De Filippi, Rudy Zerbi. 5ª puntata.
24.00 Canterbury's Law
TF (1ª stagione) 1ªTv «Al di là della

ITALIA 1

6.15 Listen Up TF 1ªTv «L'assemblea scolastica».
6.40 Shizuku. **6.50** Thomas and Friends. **7.05** Toot & puddle. **7.20** Scooby-Doo. **7.50** Heidi. **8.15** Silvestro. **8.25** Tom & Jerry. **8.35** Bugs Bunny.
8.50 Capogiro. DOCUMENTI.
10.35 Grey's Anatomy TF (3ª s.) «Aspettative». *Izzie investe gli otto milioni di dollari ereditati da Denny nell'ambulatorio che Bailey vorrebbe aprire al Grace Hospital. «Desideri e speranze». La madre di Meredith viene ricoverata al Seattle Grace.*
12.25 Studio aperto/Meteo
13.00 Studio sport
13.40 American Dad. «Segrete e vagoni».
14.05 La Pupa e il secchione - Il ritorno.
14.20 I Griffin. «Laggiù nel profondo sud». 1ª Tv CARTONI.
14.45 I Simpson. «Homer l'acchiappone».
15.10 Kyle XY TF (3ª stagione) 1ªTv «Benvenuto tra i Latnok». *Kyle rispetta il patto stretto con Cassidy e lo segue a un incontro dei Latnok.*
16.10 Jonas TF (1ª s.) 1ªTv «Il quarto Jonas». *I tre Jonas ospitano Carl, un amico di Joe. Ma Carl è ossessionato dalla popolarità dei fratelli e pensa che il fatto di essere delle rockstar li abbia cambiati.*
16.35 Sonny tra le stelle TF (1ª stagione) 1ªTv «Le cassiere». *Sonny si preoccupa di un esame di geometria che può decidere il suo futuro a So Random.*
17.00 True Jackson, VP TF (1ª stagione) 1ª Tv «Chi lo dice ad Amanda?». *Ryan, True e Lulu scoprono che il fidanzato di Amanda la tradisce. Intanto Lulu si convince che il ragioniere che lavora per Max è Babbo Natale!*
17.30 Kilari. «Prova costume per tutte le celebrità». 1ª Tv CARTONI.
17.55 Spongebob. «Animaletti pestiferi» - «Il computer va in tilt». 1ª Tv CARTONI.
18.30 Studio aperto/Meteo
19.00 Studio sport.
19.25 Sport Mediaset Web.
19.30 Samantha chi?
TF (1ª stag.) 1ªTv «Otto giorni in coma».
20.05 I Simpson. «Il mio grosso grasso matrimonio sgangherato». CARTONI.
20.30 Viva Las Vegas. GAME SHOW.
21.10 FILM TV-Azione 1ªTv ★★
URBAN JUSTICE - CITTÀ VIOLENTA. Di Don E. Fauntleroy (Usa 2007) con

5 Look at the television programmes again and then do one of the following activities. You have five minutes to prepare.

1. Imagine that you are a television presenter and introduce the programmes from one of the channels to your classmates (*alle ... c'è, andrà in onda...* etc.).
2. Choose some programmes that interest you and briefly introduce them to your classmates (*su canale..., alle ...* etc.). If you want, you can choose to introduce programmes that are broadcast at 7pm.

14

C Vocabolario e abilità

1 Work with a partner. Complete the sentences using one of the words provided.

1. Hai visto la prima .... della nuova fiction della Rai?
2. Per ricevere programmi satellitari ci serve un' ....
3. Per cambiare canale abbiamo bisogno del ....
4. Mio padre ha comprato un .... da 50 pollici!
5. Ma su quale .... danno la Formula 1?

televisore
puntata
antenna parabolica
canale
telecomando

2 In the next activity you will listen to some young Italians talking about what they like to watch on television. In your opinion, what kinds of programmes are they most likely to watch?

12

3 Now listen to the interviews and complete the table below.

Intervistato	Ore passate davanti alla tv	Giudizio sulla tv italiana	Cosa ti piace	Cosa non ti piace
1 (ragazza)	2-3 ore			film vecchi e documentari
2 (ragazzo)		molto positivo		un programma di Rete 4
3 (ragazza)	1	positivo, ma alcuni programmi non sono buoni	reality show e sport	

4 Look at the cartoon sketches below and tell the story of what Alessandro did yesterday, using the imperfect and perfect tenses. Which of you will come up with the most original tale?

Test finale

La televisione in Italia

La televisione è uno dei passatempi preferiti degli italiani, che hanno molte scelte:

Reti statali (Rai 1, 2 e 3) e **private** (Canale 5, Italia 1 e Rete 4): le più seguite.

Tv digitale terrestre: basta solo un decoder per ricevere canali su sport, cinema, economia e così via.

Tv Satellitare: decine e decine di canali italiani su attualità, film e qualsiasi altro argomento.

Web Tv: sport, musica, notizie e altro su Internet, di solito gratis.

Canali locali: quasi ogni città di medie dimensioni ne ha uno su tematiche legate alla regione.

Ecco alcune trasmissioni televisive molto amate dagli italiani:

Festival della canzone italiana

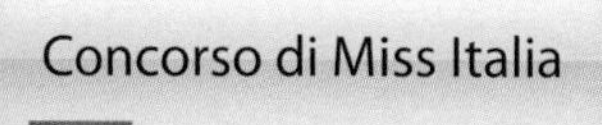

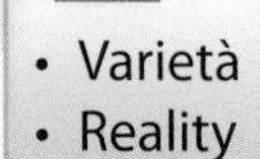

- Varietà
- Reality
- "Talent show"

Partite del Campionato e della Nazionale

Gare di Formula 1 e Moto GP

Secondo le statistiche, gli adolescenti italiani guardano la tv per circa 3-4 ore al giorno e i programmi più seguiti sono: film d'azione, film comici, cartoni animati, quiz e, naturalmente, programmi musicali.

Intelligenti o... teledipendenti?

1 Do you want to find out what your... future IQ will be? All you need is this simple test! As you know, the more time we spend watching TV... the worse it is for our brain!

1. **Guardo la tv**
   a. anche mentre studio!
   b. per circa 2 ore al giorno
   c. soprattutto nel weekend
2. **Spengo il televisore**
   a. poco prima di addormentarmi
   b. molto prima di andare a letto
   c. ...quando mi sveglio la mattina
3. **Tra questi siti, visito di più**
   a. youtube
   b. twitter
   c. facebook
4. **Quando c'è la pubblicità**
   a. spengo la tv
   b. la guardo con attenzione
   c. faccio zapping
5. **Mangio quasi sempre**
   a. ascoltando la tv
   b. guardando la tv
   c. col televisore spento
6. **Nella mia camera**
   a. non ho un televisore
   b. ho appena messo un televisore
   c. ho un home cinema

1. a: 3, b: 2, c: 1
2. a: 2, b: 1, c: 3
3. a: 3, b: 1, c: 2
4. a: 1, b: 2, c: 3
5. a: 2, b: 3, c: 1
6. a: 1, b: 2, c: 3

6-9 Sei un genio (oppure in casa vostra non c'è il televisore)! La tv non è sicuramente il tuo passatempo preferito. I.Q.: 140+

10-13 Guardi la tv, ma senza esagerare. Già questo è un segno di intelligenza! Vai avanti così! I.Q: 100-120

14-18 Dopo tante ore davanti alla tv, forse non riesci più a capire questo testo. E se non cambi presto abitudini, gli altri non potranno capire te! I.Q.: 60-80

2 Go to the website for online @ctivities on Italian television.

3 **Pr@gettiam@!**

1 Siete produttori televisivi! Dovete vendere un programma della televisione del vostro Paese alla Rai per trasmetterlo in Italia. Sceglietene uno o due e create una breve presentazione per ciascuno: un'immagine, una breve descrizione (contenuto, a chi è rivolto, vantaggi), l'orario migliore per mandarlo in onda. Se riuscite a vendere i vostri programmi, avrete un contratto e potrete tradurre voi i testi per la Rai!

2 Un altro gruppo farà il contrario: selezionerà un programma italiano (cercando informazioni on line e creerà poi una breve presentazione (come quella del punto 1) allo scopo di venderlo a un canale del vostro Paese.

What do you remember from Units 1 and 2?

1. Sapete...? Match the two columns.

1. esprimere accordo
2. fare ipotesi
3. fare una previsione
4. esprimere disaccordo
5. fare promesse

a. No, penso di no.
b. Vedrai che alla fine Antonio sposerà Carla.
c. Questa volta arriverò in orario.
d. Sì, è proprio vero!
e. Se verrai, saremo molto felici.

2. Match the sentences.

1. Vorrei cambiare canale,
2. Forse domani pioverà.
3. Laura non ha potuto studiare
4. Di che segno è Chiara?
5. Dino canta proprio bene.

a. È dell'Acquario.
b. Sono d'accordo! Ha una bella voce.
c. dov'è il telecomando?
d. Non penso, ma uscirò con l'ombrello.
e. perché aveva dimenticato i libri a scuola.

3. Complete the sentences.

1. Cosa? "Cantare" è già iniziato? Cosa è successo nella prima p..?
2. Se voglio sapere le ultime notizie guardo il t..
3. Luigi ha molta fantasia, è una persona c..
4. No, non hanno vinto loro il c.., ma sono comunque arrivati terzi.
5. Stefania chiede a tutti il segno zodiacale perché crede molto nell'o..

4. Complete the table by putting the correct word from the list provided in the appropriate column. Be careful, though: two of the words don't belong in either column.

Segni zodiacali	Programmi televisivi

telefilm, gemelli, telegiornale, acquario, telecomando, toro, cartone animato, puntata

Check your answers on page 170.
Are you satisfied?

Piazza San Marco, Venezia

Ambiente ed ecologia

Unità 3

Per cominciare...

1 Quiz! With a partner try to match the instruments (1-4) to the pictures (a-d), based on what they have in common. Explain why you matched the images in the way that you did.

1 2 3 4

2 **Can any of you play a musical instrument? What other instruments do you know?**

13

3 **Listen to the dialogue and in each case choose the option that is true.**

1. I ragazzi devono prima di tutto
   a. comprare strumenti musicali
   b. decidere quale canzone cantare
   c. cominciare le prove

2. La casa di Dino è ideale perché è
   a. in centro
   b. grande
   c. lontano dalla città

3. Contrariamente a suo padre, Dino
   a. non suona nessuno strumento musicale
   b. ha un grande talento musicale
   c. canta molto bene

4. Dino chiederà a suo padre
   a. le chiavi di casa
   b. di accompagnare lui e i ragazzi
   c. una nuova tastiera

in this unit...

Glossary on page 162

1. *...we are going to learn to express joy, regret or disappointment; to offer, accept or refuse collaboration or help; to talk about environmental issues;*
2. *...we are going to learn to use direct object pronouns and how they are used in compound tenses; the partitive pronoun* ne;
3. *...we will find information on the environmental situation in Italy, on the relevant associations, and on ecological initiatives.*

Solution of the quiz: 1-a (basso), 2-d (batteria), 3-b (tastiera), 4-c (piano)

A Le prove dove le facciamo?

13

1 Having listened to the dialogue, work with a partner and try to fill in the missing words from memory. Listen again to check your answers.

2 **Answer the following questions.**

1. Per quali motivi pensano di fare le prove nella casa di campagna di Dino?
2. Di chi è la tastiera?
3. I ragazzi come andranno alla casa di campagna?
4. Dino cosa dirà a suo padre per convincerlo?

3 **Work with a partner. Complete the following sentences using some of the expressions highlighted in blue in the dialogue.**

1. Dopo un anno di lezioni ha capito che non era per niente .... la pittura.
2. Uno che sull'autobus parla ad alta voce probabilmente .... tutti.
3. Non amo le feste, non mi piace stare .... tanta gente!
4. Ragazzi, a me l'idea piace molto. Potete senz'altro .... me.

4 **Read what Dino writes on his Facebook page and complete the text using the options provided on the right.**

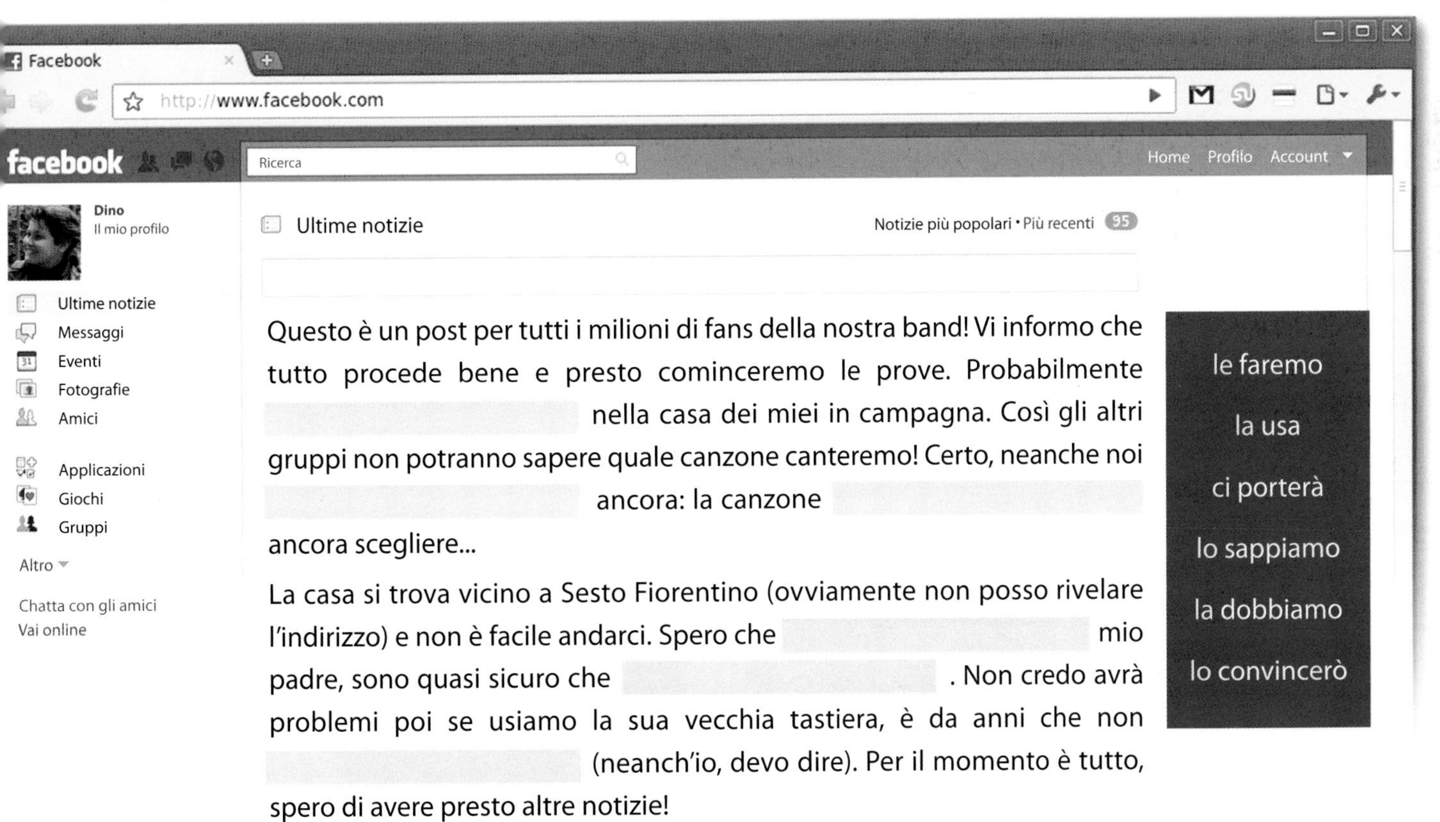

5 Work with a partner. Do you understand what or who the words in yellow used in the previous activity refer to?

6 With your partner complete the following table using the pronouns provided.

la

mi

Pronomi diretti (oggetto)

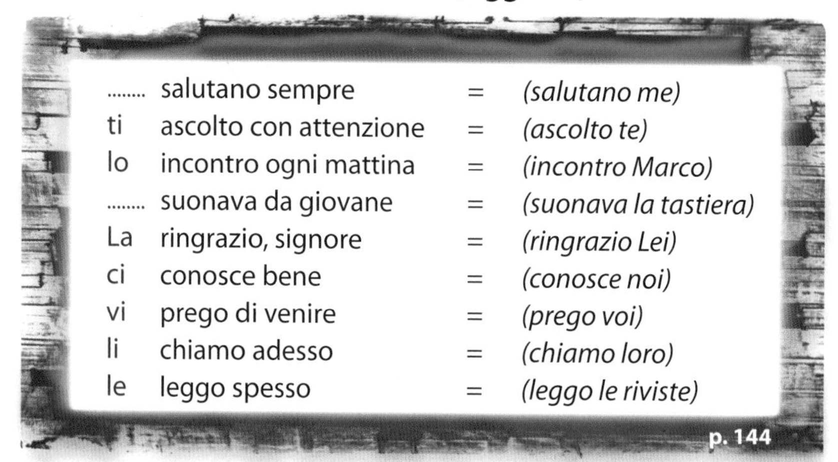

……..	salutano sempre	=	*(salutano me)*
ti	ascolto con attenzione	=	*(ascolto te)*
lo	incontro ogni mattina	=	*(incontro Marco)*
……..	suonava da giovane	=	*(suonava la tastiera)*
La	ringrazio, signore	=	*(ringrazio Lei)*
ci	conosce bene	=	*(conosce noi)*
vi	prego di venire	=	*(prego voi)*
li	chiamo adesso	=	*(chiamo loro)*
le	leggo spesso	=	*(leggo le riviste)*

p. 144

7 **Study the table above and then answer the questions below as in the example.**

Chi accompagna Alessia a casa? *(un amico)* ➪ *La accompagna un amico.*

1. Pronto, mi senti? *(male)*
2. Chi vedrà Paolo e Dino oggi? *(io)*
3. Quando incontri le tue amiche? *(oggi)*
4. Chi vi accompagna a casa? *(alcuni amici)*
5. Conosci anche tu Carlo? *(sì)*

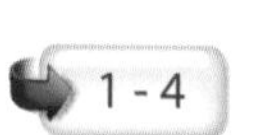
1 - 4

8 **Study these sentences:**

-Sai che abito in campagna? -Sì, lo so.
-Per anni suonavo il pianoforte. -Davvero? Non lo sapevo.

Now, with your partner, try to complete the answers to the questions below with lo so, lo sapevo, **or** lo saprò.

1. Quando saprai *se verrai con noi al lago*?
   ……………………………… stasera.
2. Sai *di chi è questa canzone*?
   No, non ………………………………
3. Sapevi *che Luca ha due sorelle*?
   Sì, ………………………………
4. Lo sapevi *che Laura è juventina*?
   No, non ………………………………

5

B Che bello!

14 **1** Listen and then match the sentences to the photos. Be careful, though: one of the photos is missing!

14 **2** Complete the table with the expressions you can remember. Listen to the conversations again to check your answers.

Esprimere gioia	Esprimere rammarico, disappunto
....	*Peccato!*
Che bella idea!	....!
....	....!
Che bella sorpresa!	....!
....!	*Che brutta notizia!*
Che fortuna!	....!

Role-play

3 ➲ Person *A*: announce to person *B* that:

- *non puoi andare con lui/lei al cinema*
- *una vostra amica ha vinto un concorso musicale*
- *hai comprato il fumetto che cercava da tempo*
- *hai perso un suo libro*
- *pensi di organizzare una festa a casa tua*

➲ Person *B*: reply to what person *A* has told you using expressions from 2 above.

4 **With a partner complete the sentences using expressions of pleasure, regret or disappointment.**

1. - ....! Nella nostra scuola hanno sostituito tutte le vecchie lampadine con delle nuove a basso consumo.
2. - ....! Domenica scorsa siamo andati al mare, ma l'acqua era sporca!
3. - ....! Ho dimenticato di spegnere l'aria condizionata! Possiamo tornare a casa un attimo?
   - Ma l'avevi accesa?! Non faceva tanto freddo oggi!
4. - ....! Hanno finalmente messo un cassonetto per la raccolta differenziata nella nostra strada.
   - Troppo vicino! A me piaceva camminare un po'...
5. - ...., che caldo oggi! Il clima di Roma è cambiato molto!
   - Purtroppo è il clima della Terra che è cambiato ...

6

5 **On the two previous pages we read about, and listened to, the habits and actions that have an impact on the environment. Working with a partner choose, from the options below, the three things that in your opinion are the most beneficial to our planet. When you have finished, compare your choices to those of your classmates.**

riciclaggio

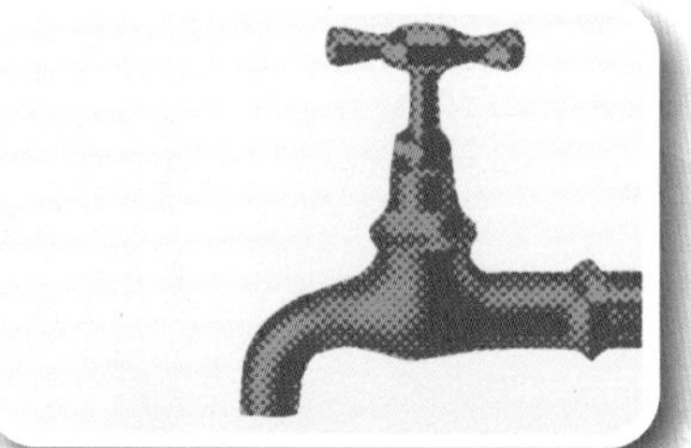

risparmio di acqua

energia eolica

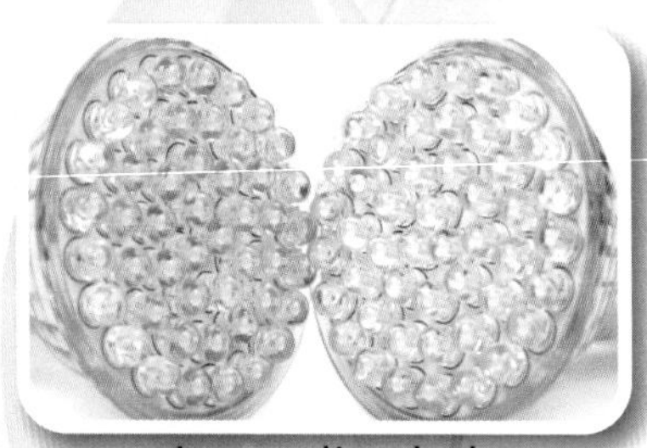

lampadine led

protezione delle foreste

energia solare

uso dei mezzi pubblici

uso della bici

auto elettriche

7

STOP Fine Prima parte
pagina 139

A L'ho sentita!

1 Look at the comic strip below and try to describe what is happening. When you are ready, listen to the dialogue and try to tell the story again.

5

2 **In the dialogue we heard the following expressions. Listen to it again and then, with your partner, try to decide what the words highlighted in blue refer to.**

15

a. ...non l'ho mai visto ....

b. ...l'ho trovata ....

c. ...li hai trovati? ....

d. ...l'hai trovata ....

e. ...la puoi cercare ....

f. ...non posso stamparli ....

3 **Look at the first four sentences (a-d) of the previous activity and then complete the table.**

I pronomi diretti nei tempi composti

quel ragazzo	l'	ho	conosciuto	un anno fa
quella ragazza	l'	ho	vist.....	proprio ieri
quei ragazzi	li	ho	incontrat.....	la settimana scorsa
quelle ragazze	le	ho	invitate	a casa mia

p. 144

4 **Reply to the following questions orally using direct object pronouns.**

1. Quando avete visitato i Musei Vaticani? *(l'anno scorso)*
2. Hai visto il DVD che ti ho dato? *(sì, poco fa)*
3. Hai scaricato il nuovo cd di Nek? *(sì, ieri)*
4. Avete conosciuto le amiche di Elena? *(sì, tutte)*

5 **In the dialogue we also heard the following sentences: "...una canzone sull'ambiente! Ma ne esiste una?" and "Io ne conosco una...". Can you suggest a reason why the pronoun la hasn't been used in these two sentences? Look in the grammar section (page 145) to check whether you are right.**

6 **Look at the pictures and make up a short conversation for each, using ne in the answer, as in the example.**

Quanti sms ricevi al giorno? Ne ricevo tanti.

Quattro ragazze

Un gelato

Tre pezzi di pizza

Una bicicletta

B Ti posso aiutare?

1 **Look at the following short dialogues and, with a partner, try to complete them using an expression from the list provided.**

1. - Domani devo consegnare questo compito. Non credo che farò in tempo.
- Ti posso aiutare?
- No, grazie! ....

2. - .... con le borse, mamma? Ne posso portare un paio io.
- Grazie, cara! Meno male che sei qui!

3. - Signorina, ha dei problemi col motorino?
....
- Grazie, ma credo di poter fare da sola.

4. - Ho finito. Hai bisogno di aiuto?
- .... Sai la risposta alla terza domanda?

5. - Ti vedo un po' giù oggi. ....
- Grazie, non è niente. Sono solo di cattivo umore.

6. - Se vuoi ti posso dare io un biglietto per l'autobus, la macchinetta non funziona.
- ....! Però devo comprarne uno anche per il ritorno.

La posso aiutare? Volentieri! Purtroppo non puoi aiutarmi.
Vuoi una mano? Posso fare qualcosa? Grazie, molto gentile.

2 **Now listen to the conversations and check your answers.**

3 **Look at the parts highlighted in blue in activity B1. What do you notice? To learn more, turn to page 145.**

4 **Compare the two photos and comment on what you see. Which of these images is the most common in your city?**

C La Terra è in pericolo!

1 **Nowadays everyone admits, even if a little too late, that the Earth is in danger as a result of human activity! How much do you know about the subject? Do this test to find out.**

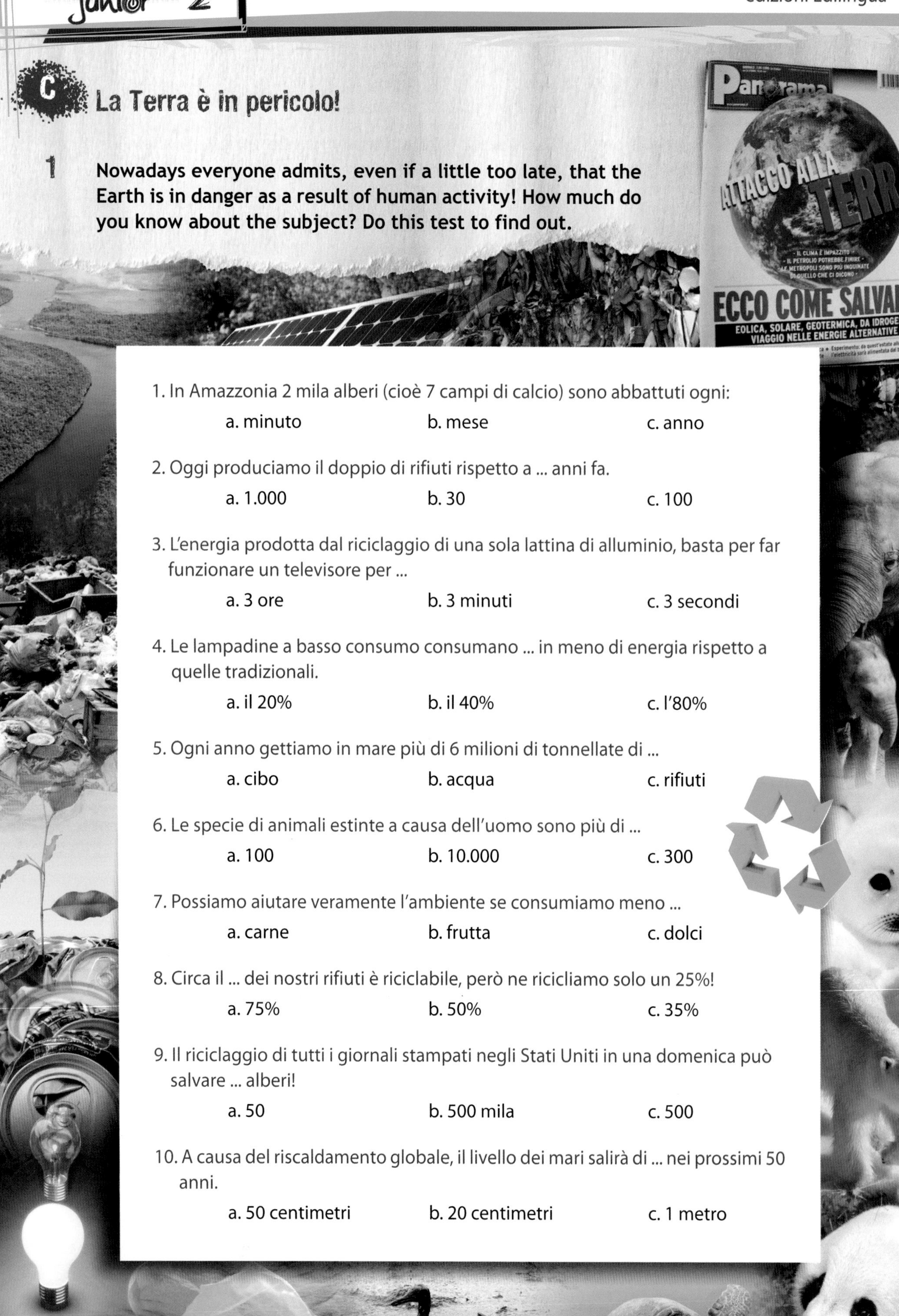

1. In Amazzonia 2 mila alberi (cioè 7 campi di calcio) sono abbattuti ogni:
   a. minuto b. mese c. anno
2. Oggi produciamo il doppio di rifiuti rispetto a ... anni fa.
   a. 1.000 b. 30 c. 100
3. L'energia prodotta dal riciclaggio di una sola lattina di alluminio, basta per far funzionare un televisore per ...
   a. 3 ore b. 3 minuti c. 3 secondi
4. Le lampadine a basso consumo consumano ... in meno di energia rispetto a quelle tradizionali.
   a. il 20% b. il 40% c. l'80%
5. Ogni anno gettiamo in mare più di 6 milioni di tonnellate di ...
   a. cibo b. acqua c. rifiuti
6. Le specie di animali estinte a causa dell'uomo sono più di ...
   a. 100 b. 10.000 c. 300
7. Possiamo aiutare veramente l'ambiente se consumiamo meno ...
   a. carne b. frutta c. dolci
8. Circa il ... dei nostri rifiuti è riciclabile, però ne ricicliamo solo un 25%!
   a. 75% b. 50% c. 35%
9. Il riciclaggio di tutti i giornali stampati negli Stati Uniti in una domenica può salvare ... alberi!
   a. 50 b. 500 mila c. 500
10. A causa del riscaldamento globale, il livello dei mari salirà di ... nei prossimi 50 anni.
    a. 50 centimetri b. 20 centimetri c. 1 metro

1-7 Non ci crederai, ma se spegni la luce risparmi energia! Hai molto da imparare sull'ambiente e puoi cominciare da questa unità.

8-14 Sai alcune cose sull'ambiente, ma non sembra essere uno dei tuoi argomenti preferiti. Dai, la Terra ha bisogno di te!

15-20 Complimenti! Sei molto informato (o... fortunato): alcune domande erano veramente difficili! Non ti resta che applicare le cose che sai e... salvare la Terra!

Your score

1. a: 2	b: 1	c: 0
2. a: 0	b: 2	c: 1
3. a: 2	b: 1	c: 0
4. a: 0	b: 1	c: 2
5. a: 1	b: 0	c: 2
6. a: 0	b: 2	c: 1
7. a: 2	b: 0	c: 1
8. a: 2	b: 1	c: 0
9. a: 0	b: 2	c: 1
10. a: 1	b: 0	c: 2

2 **Which of the statistics on the previous page surprised you the most? Which of the "solutions" do you think is the most important, and why? Discuss what you think with a partner, and then see what the other groups think.**

12 e 13

D Abilità

17

1 **Ascoltiamo. Listen to the interviews and tick the statements you hear.**

1. Preferisco vivere in città perché mi piace fare shopping. ☐
2. Nella campagna c'è più tranquillità. ☐
3. Ho un cane e un gatto. ☐
4. Avevo un gatto che si chiamava Felix. ☐
5. I miei genitori non vogliono animali in casa. ☐
6. Mio padre porta fuori i due cani. ☐

2 **Parliamo**

1. E voi? Avete abitudini che fanno bene o male all'ambiente? Scambiatevi idee.
2. Secondo voi, perché siamo arrivati a mettere in pericolo il nostro pianeta? Di chi è la colpa e qual è la causa principale?
3. *Role-play* Situazione: A sa che la situazione dell'ambiente è critica, ma non crede di poter fare qualcosa: secondo lui/lei, tutto dipende dalle decisioni dei governi e delle grandi industrie e le singole persone non possono fare niente. B ha idee del tutto diverse e cerca di spiegare ad A che tutti insieme possiamo fare molto.
4. Qual è il vostro rapporto con gli animali? Chi di voi ne ha uno? Parlatene.

3 **Scriviamo**

1. Hai sentito di un grande incendio in una zona dell'Italia. Scrivi un'e-mail a un amico italiano che vive non molto lontano da lì per chiedere maggiori informazioni su questa catastrofe ambientale e raccontare un incendio simile nel tuo Paese. *(80-100 parole)*
2. Immaginate di vivere nel 2050: qual è la situazione del pianeta? Com'è la vita quotidiana e che problemi ci sono? Scrivete un breve racconto fantastico... o quasi. *(80-100 parole)*

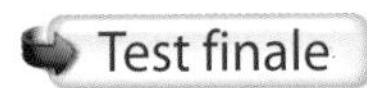

Gli italiani e l'ambiente

Il Parco Nazionale dello Stelvio, sulle Alpi, è il più grande d'Italia. I parchi nazionali coprono oggi più del 10% del territorio italiano.

Agriturismo significa passare una vacanza presso un'azienda agricola. Inizialmente lo scopo era offrire a chi viveva in città la possibilità di partecipare al lavoro agricolo e di fare un'esperienza nuova. Oggi sono più di 10.000 gli agriturismi in Italia e il fenomeno è in crescita: un'opportunità per vivere a contatto con la natura e poter mangiare prodotti direttamente coltivati sul posto.

Un gruppo di volontari pulisce una spiaggia dal petrolio. Molte sono le campagne per l'ambiente, di solito organizzate dalle grandi associazioni ambientalistiche: Legambiente, Greenpeace Italia e WWF Italia.

Alunni durante un progetto di educazione ambientale. A destra, il manifesto di una campagna per la raccolta differenziata dei rifiuti.

la mia scuola

differenzia!

Per il potenziamento della raccolta differenziata nelle scuole della Provincia di Lodi

Tutti in bici!

Il mezzo di trasporto ideale? Ovviamente la bicicletta: è ecologica, economica e fa bene alla salute! In Italia, soprattutto al Nord, circa il 30% degli italiani dai 14 anni in su la utilizza almeno 2-3 volte a settimana: percentuali in continua crescita.

Per andare in bicicletta bisogna... averne una (ma in molte città è possibile noleggiarla da numerose stazioni automatiche) e avere delle piste ciclabili, cioè corsie della strada riservate alle biciclette. In Italia ci sono più di 25 milioni di bici (seconda in Europa), ma la rete ciclabile prevista non è ancora completa.

Dove vanno gli apparecchi elettronici quando... muoiono? Purtroppo, in tutto il mondo è ancora bassa la percentuale dei rifiuti tecnologici che finiscono al riciclo. Sono considerati delle vere "bombe ecologiche" e sono molto pericolosi per la nostra salute. La prossima volta che cambierete cellulare, computer o batterie pensate a tutto questo!

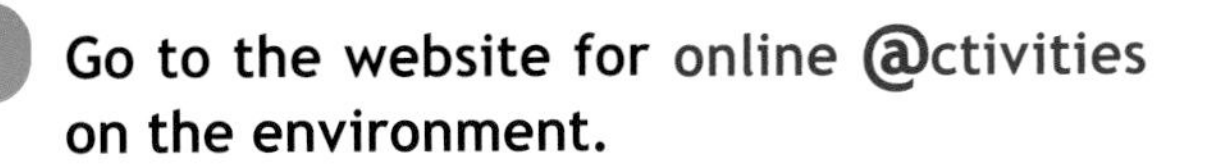

1 **Go to the website for online @ctivities on the environment.**

2 **Progettiamo!**

1 Parlando di ambiente è necessario discutere di due aspetti: i problemi e le possibili soluzioni. Lavorando a piccoli gruppi create un manifesto con foto dei problemi ambientali della vostra città: traffico, inquinamento, biciclette, riciclaggio, energia ecc. con didascalie e commenti in italiano. Alternativamente potete girare un breve documentario (2 minuti) con scene quotidiane e un commento in italiano. Alla fine confrontate il vostro lavoro con quello degli altri gruppi.

2 Quanto è ecologica la vostra scuola? Fate una lista di proposte, possibili iniziative e cose da cambiare, che non avranno un costo, ma richiederanno solo un po' di tempo da parte di studenti e insegnanti (riciclaggio, risparmio energetico, piantare alberi, protezione animali), e presentatela alle altre classi e al preside.

3 Lavorate in coppia. Fate una lista con "10 semplici cose che tutti possiamo fare per l'ambiente". Accompagnate i vostri consigli con delle foto e appendete i vostri cartelloni nella vostra scuola. Così gli studenti delle altre classi impareranno non solo cose utili, ma anche qualche parola italiana!

What do you remember from Units 2 and 3?

1. Sapete...? Match the two columns.

1. esprimere rammarico
2. offrire aiuto
3. esprimere gioia
4. esprimere accordo
5. accettare collaborazione

a. Sì, è proprio così.
b. Che bella sorpresa!
c. Peccato!
d. Volentieri!
e. Vuoi una mano?

2. Match each question to a logical response.

1. Hai un biglietto anche per me?
2. Sai se andremo a scuola domani?
3. Ti posso aiutare?
4. Che cosa hai visto ieri su Canale 5?
5. Hai sentito come suona bene la chitarra?

a. Sì, ed ha anche una bella voce.
b. Si, grazie! Sei molto gentile.
c. Un documentario sull'ecologia.
d. No, non lo so ancora.
e. Mi dispiace, ne ho preso solo uno.

3. Match the expressions to the pictures.

1. foresta amazzonica .....
2. energia solare .....
3. raccolta differenziata .....
4. energia eolica .....

4. Complete the sentences.

1. Bella idea, una canzone sull'ambiente! Ma .... esiste una?
2. Il disco? Ragazzi, io un disco non .... ho mai vist........!
3. I versi .... hai trovat........?
4. Sì, ma qui non posso stampar........ Però possiamo ascoltarla un paio di volte e scriver.........

Check your answers on page 170.
Are you satisfied?

Cattedrale di Santa Maria del Fiore, Firenze

Facciamo spese

Per cominciare...

1 **Look at these shops. In your opinion, which one sells clothing, which one shoes, and which accessories?**

2 **In the dialogue we are about to listen to, the girls are thinking of going to a shopping centre to do some shopping. Is this something you have done/do often? To buy what? Talk about your shopping habits with your classmates. Generally, do you enjoy shopping? Talk about your views on the subject.**

18 **3** **Listen to the dialogue once and briefly discuss what you have understood.**

18 **4** **Listen to the dialogue again and tick the statements that are correct.**

- ☐ 1. Giulia non vuole andare a fare spese.
- ☐ 2. Le tre ragazze si danno appuntamento alle 10.30.
- ☐ 3. Alessia non deve comprare qualcosa di particolare.
- ☐ 4. Per andare a fare spese pensano di vestirsi allo stesso modo.
- ☐ 5. Secondo Chiara, un gruppo rock si veste di nero.
- ☐ 6. L'idea di Chiara non piace molto ad Alessia e Giulia.
- ☐ 7. Hanno deciso di chiamare il gruppo "La band della gelateria".
- ☐ 8. Alla fine l'ora dell'appuntamento non cambia.

in this unit...

Glossary on page 163

1. ...we are going to learn to talk about shopping and shops, to ask for and to express an opinion, to talk about colours and clothing, to make arrangements;

2. ...we are going to learn to use reflexive and reciprocal verbs in the present tense and the perfect tense, and to use reflexive verbs with modal verbs;

3. ...we will find information on young Italians and fashion, and on the best known Italian fashion labels and designers.

A Dai, ci divertiremo!

18

1 Listen to the dialogue to check your answers to the previous activity.

2 **Close your books and try to remember the conversation between the three girls.**

3 **Working with a partner, choose one of the expressions from the dialogue highlighted in blue and use it to create a sentence of your own. When you are ready, compare your sentence with those of your classmates: did everyone interpret the expressions or words in the same way?**

....

4 **Complete the dialogue between Dino and Giulia using the words provided.**

mi devo svegliare — si alzano — ci vedremo — ci vestiamo — vi divertite — mi annoio — vi incontrate

Dino: Avete voglia di fare un giro domani mattina?

Giulia: Domani è giorno di shopping! Con Alessia e Chiara andremo in un centro commerciale. Volete venire?

Dino: Con voi a fare spese? No, grazie! So che voi ....(1) ma personalmente ....mi annoio...........(2) da morire! A che ora avete appuntamento?

Giulia: Ci vedremo alle 10.30. Ciò significa che ....(3) alle 9...

Dino: E beh? È presto?

Giulia: No, è che ultimamente non dormo così bene. Invece, Alessia e Chiara ....(4) presto anche il sabato...

Dino: E ....(5) al centro commerciale o da qualche altra parte?

Giulia: Se ho capito bene ....(6) direttamente là. Forse devo chiamare le ragazze per chiarirlo.

Dino: Ok. Ah senti, domenica abbiamo la prova.

Giulia: Lo so... a proposito, Chiara vuole che ....(7) tutti di nero al concorso... come una rock band!

Dino: Boh, non so... è un'idea. Tu e Alessia che ne pensate?

Giulia: Mah, Alessia preferisce il bianco e io... non lo so. Insomma, vedremo.

5 Which of these sentences relates to the photo?

a. *Anna sveglia sua sorella*

b. *Anna si sveglia*

Now complete the table using si and ti.

I verbi riflessivi

svegliarsi

io mi sveglio molto presto.	noi ci svegliamo per andare a scuola.
tu .... svegli da solo?	voi vi svegliate facilmente?
lui/lei/Lei si sveglia alle 8.	loro .... svegliano sempre alla stessa ora.

p. 145

6 Match the two columns to create complete sentences.

1. La mia mamma
2. Luca e Antonio
3. Scusi, Lei
4. Che c'è Gianna,
5. Noi in questa classe
6. Quando sono molto stanca

a. non ti senti bene?
b. mi addormento davanti alla tv!
c. ci troviamo molto bene.
d. si divertono da morire!
e. si veste sempre in fretta.
f. come si chiama?

1 - 5

7 In dialogue A4 we also saw the forms "ci vedremo" and "vi incontrate". Look at the table and the photos below and then conjugate the verb in brackets to make a sentence.

I verbi riflessivi reciproci

Io ti vedo spesso, tu mi vedi spesso. = (noi) Ci vediamo spesso.
Tu la ami molto, lei ti ama molto. = (voi) Vi amate molto.
Piero guarda Lisa, Lisa guarda Piero. = Piero e Lisa si guardano.

p. 146

Gianna e Mirta non (*parlarsi*) più!

Vale, (*sentirsi*) più tardi, va bene?

Ma voi, quanti sms (*scambiarsi*) al giorno?

6

B Che ne pensi?

19 **1** Listen to the short dialogues and match them to the correct picture.

19 **2** Listen to them again and complete the table by providing the missing expressions.

Chiedere un parere	Esprimere un parere
che ne pensi?	*la .... molto*
che ....?	*secondo me, è...*
cosa ne pensi di...?	*penso che sia... / credo che sia...**

***Note:** *"penso che sia" (or "credo che sia") are forms of the subjunctive, useful for speaking and writing correctly. The subjunctive will be covered in* Progetto italiano Junior 3. *So be patient!*

Role-play

3 ➲ **Person *A*: ask person *B* for an opinion on:**

- *qualcosa che indossi*
- *un personaggio famoso*
- *gli italiani e le italiane*
- *un regalo che vuoi fare*
- *una tua idea*
- *una città*

➲ **Person *B*: give person *A* your opinion on what he/she is asking about.**

7

C Capi di abbigliamento

1 **Look at the pictures and find the two mistakes.**

1. jeans, 2. camicia, 3. giacca , 4. gonna , 5. maglietta, 6. giubbotto, 7. pantaloni, 8. scarpe, 9. tuta da ginnastica, 10. borsa, 11. felpa, 12. occhiali da sole.

2 **Colours: complete the list with** blu, nero, bianco **and** giallo.

.... rosa azzurro marrone .... rosso .... verde .... grigio

3 **Working with a partner, look at the items of clothing and create an outfit that reflects your taste. For example: "La gonna verde va bene con la camicetta rossa" and so on. When you have finished, see what outfits the other groups have created.**

8 e 9

STOP Fine Prima parte pagina 139

A Che numero porti?

1 Some of the following comic strip frames are in the wrong order. With a partner try to put them in the correct order and then listen to the dialogue to check whether you are right.

2 **Based on what you remember, answer the following questions.**

1. Quale ragazza si è svegliata tardi?
2. Cosa vuole comprare Alessia?
3. Che numero porta?
4. Com'è la maglietta che vuole comprare Giulia?
5. Che taglia porta?
6. Chi delle ragazze spende di più?

3 **In the previous dialogue four expressions are highlighted in blue. With your partner insert two of these into the following sentences.**

Bella la tua sciarpa, Carla, ...!

Stamattina mi sono vestita .... e ho messo due calze di colore diverso!

10

4 **At the start of the dialogue there are also three reflexive verbs. What do they have in common? Complete the following table.**

I verbi riflessivi nei tempi composti

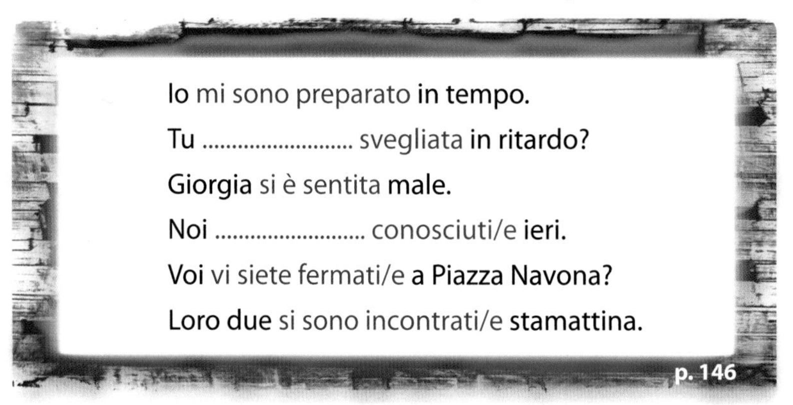

Io mi sono preparato in tempo.
Tu .... svegliata in ritardo?
Giorgia si è sentita male.
Noi .... conosciuti/e ieri.
Voi vi siete fermati/e a Piazza Navona?
Loro due si sono incontrati/e stamattina.

p. 146

5 **Complete the sentences as in the example.**

Ci vediamo molto spesso. *(anche ieri)* ➪ *Ci siamo visti anche ieri.*

1. Anna ed io ci sentiamo spesso per telefono. *(anche oggi)*
2. Non si addormentano mai davanti alla tv. *(ieri sera invece sì)*
3. Prima di mangiare mi lavo sempre le mani. *(anche questa volta)*
4. Ogni mattina ti alzi presto. *(stamattina però tardi)*
5. Di solito Luigi si veste male. *(oggi però bene)*

B Quanto costa?

1 Let's return to the dialogue on page 55. With a partner underline expressions that can be used when we go out shopping. How many expressions have each of the other groups found?

2 role-play

- Person *A*: you enter a clothes shop to buy a present for a friend. Ask the sales assistant to help you with what's in fashion, ideas, prices, etc.
- Person *B*: you are the sales assistant and you are trying to help *A* choose something his/her friend will like; ask questions and make suggestions about size, style (classic, sporty, etc.), colours and the amount *A* is willing to spend on this present.

You can use the expressions you underlined in activity 1 as well as the ones given below.

Chiedere il prezzo
quant'è?/quanto viene?
quanto costa?
c'è lo/uno sconto?

Esprimere un parere
è molto elegante!
è di/alla moda!
è bellissimo!

Parlare del colore
di che colore è?
c'è anche in blu?
lo preferisco nero

Parlare del numero/della taglia
che numero porta?
che taglia è?
è un po' stretto!

13

C A che ora ci possiamo vedere?

1 Look at the following sentences. What do you notice?

- A che ora ci possiamo vedere oggi?

- Mi dispiace, oggi non possiamo vederci!

- Sono in ritardo, devo vestirmi in 5'!

- Io mi devo vestire in 5' ogni giorno!

2 **Complete the table.**

I verbi riflessivi con i verbi modali

Mi devo fermare per un attimo.	Devo fermar.......... per un attimo.
A che ora .... vuoi svegliare domani?	A che ora vuoi svegliarti domani?
.... possiamo vedere stasera?	Possiamo vederci stasera?

p. 146

As we have seen (Unit 3), pronouns can be placed either before the modal verb or at the end of the infinitive.

D Che consumatore sei?

14

1 **Do you spend a lot on clothes? How important is money to you? Do the following test to find out what kind of a consumer you are.**

1. Provi gli abiti prima di comprarli?
- **a** Sì
- **b** Qualche volta
- **c** No, perché?

2. Aspetti con ansia il periodo dei saldi?
- **a** Sempre
- **b** Qualche volta
- **c** Non ci penso nemmeno

3. Il prezzo è per te...
- **a** poco importante
- **b** importante
- **c** la prima cosa che guardi

4. Quanto tempo passi in un negozio di abbigliamento?
- **a** Più di un'ora
- **b** Circa mezz'ora
- **c** Il meno possibile

5. Sai gli orari dei tuoi negozi preferiti?
- **a** Certo!
- **b** Di alcuni sì
- **c** Non ho negozi preferiti

6. Leggi riviste di moda?
- **a** Ogni settimana!
- **b** Ogni tanto
- **c** Mai!

7. Sono importanti per te gli abiti firmati?
- **a** Molto
- **b** Non molto
- **c** No, per niente

8. Dove ti piace passare il sabato?
- **a** In un centro commerciale
- **b** In palestra a fare sport
- **c** A casa

9. Ogni settimana dedichi allo shopping...
- **a** più di 3 ore
- **b** una o due ore
- **c** meno di un'ora

10. Compri spesso cose che non ti servono veramente?
- **a** Quasi ogni giorno
- **b** Qualche volta
- **c** Mai!

2 Blue answers are worth 3 points, red answers are worth 2 points, and black answers are worth 1. Do you agree with the results of the test? Discuss the outcome with your classmates.

25-30: Molto probabilmente sei uno/a „shopaholic", vivi per fare spese! È una scelta o non puoi proprio resistere? E sei sicuro/a di avere abbastanza soldi? Perché non provi qualcosa di diverso ogni tanto, qualcosa di più creativo?

17-24: Sei - per il momento - un consumatore maturo, sai quello che vuoi, ma in futuro puoi diventare anche tu uno/a „shopaholic". Stai attento/a, ci sono anche altre cose nella vita!

10-16: Per scelta o meno, sicuramente fare spese non è la cosa più importante nella tua vita. Questo è positivo, ma sei sicuro che tutti ti trovano interessante?

E Abilità

22

1 **Listen to the interviews and complete the sentences (using 2 or 3 words in each gap).**

1. La mamma magari ti frena, se a te .... e a lei no, non te la fa comprare.
2. Perché mi compra .... Più o meno.
3. No, io vesto .... E non mi vesto come gli altri.
4. Tendo a seguire molto le mode perché mi piace stare comunque al passo ....
5. Mi piace molto la moda perché comunque riprende sempre .... mettendoci qualcosa di originale.
6. Un abito può essere carino, ma non ....

2 **Parliamo**

1. Hai un tuo stile di abbigliamento? Come ti vesti di solito a scuola e perché?
2. Dove vai a fare spese di solito: in centro, vicino a casa tua, nei centri commerciali, su internet?
3. Consideri l'abbigliamento importante? Spendi relativamente (ad es. rispetto ai tuoi amici) molto o poco per vestirti? Scambiatevi idee.
4. Quando è il periodo dei saldi nel vostro Paese? Sono veramente convenienti?
5. Quanto è apprezzata la moda italiana nel vostro Paese? Quali marche o stilisti in particolare?
6. Scegliete un vostro compagno e, senza fare il nome, descrivete al resto della classe com'è vestito: gli altri devono capire di chi state parlando.

3 **Scriviamo**

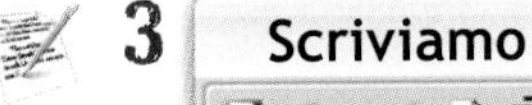

In un blog sulla moda trovi tanti post di ragazzi/e della tua età che parlano di abbigliamento, accessori, negozi ecc. e sembrano veramente appassionati/e. Scrivi anche tu, o per criticare le persone che spendono quasi tutto in abiti o per chiedere informazioni su negozi e offerte! *(60-80 parole)*

Test finale

Moda e giovani

Da molti anni l'Italia è sinonimo di moda e il "made in Italy" è apprezzato ed esportato in tutto il mondo. Gli italiani sono considerati un popolo elegante e sono molto attenti alla moda. Tant'è vero che spendono parecchio per l'abbigliamento, anche se non tutti si possono permettere i capi firmati dei grandi stilisti.

Ovviamente l'abbigliamento è importante anche per i giovani italiani: apprezzano abiti di note marche e soprattutto "alla moda". Inoltre, ma questo è un fenomeno internazionale, amano vestirsi come i loro coetanei, forse per sentirsi membri di un gruppo, di una "tribù". Si può dire comunque che gli adolescenti italiani spendono non poco per abbigliamento e altro.

Insieme alle piazze, i centri commerciali sono sempre più un punto d'incontro per gli adolescenti italiani: il 50% ci va almeno 1 volta alla settimana. Più le ragazze dei ragazzi tra i 14 e i 16 anni. Cosa ci fanno? Solo la metà va al centro commerciale per fare acquisti, gli altri per girare, per vedere gente, per mangiare ecc.

Let's do a quick quiz: quali di queste marche italiane conoscete? Quali hanno una linea per ragazzi, secondo voi?

Milano è considerata la capitale della moda. Ma "Donna sotto le stelle", la sfilata che si svolge ogni anno a Roma in Piazza di Spagna, con la partecipazione dei più grandi stilisti italiani, è un evento unico.

1 Anche nel vostro Paese i ragazzi frequentano i centri commerciali?
Cosa pensate di questa tendenza?
Quali sono da voi le marche che vanno di moda attualmente? Voi seguite le tendenze?

2 **Go to the website for online @ctivities on Italian fashion.**

3 **Progettiamo!**

1 Dividetevi in tre gruppi. Il gruppo A preparerà una lista delle più note firme italiane di abbigliamento e accessori e la darà al gruppo B. In base a questa lista, il gruppo B cercherà gli indirizzi dei relativi negozi nella vostra città e consegnerà la sua lista al gruppo C. Quest'ultimo evidenzierà su una cartina della vostra città la posizione precisa di questi negozi. La cartina si potrà appendere a scuola per promuovere la moda italiana!

2 Lavorate in coppia: alcune coppie scriveranno "5 leggi del buon consumatore", cioè 5 punti che riassumono a cosa bisogna stare attenti quando facciamo spese. Altre coppie faranno esattamente il contrario, scriveranno "5 leggi del cattivo consumatore". Alla fine confrontate le vostre liste. Prima di cominciare potete consultare il questionario a pagina 58.

What do you remember from Units 3 and 4?

1. Sapete...? Match the two columns.

1. chiedere il prezzo
2. offrire aiuto
3. esprimere rammarico
4. esprimere un parere
5. chiedere un parere

a. Cosa ne pensi di questa camicetta?
b. Secondo me, il giallo ti sta meglio.
c. Peccato! Ho sporcato la gonna nuova.
d. Scusi, quanto viene questo cappello?
e. Posso fare qualcosa?

2. Match the sentences.

1. Non verrò con voi a fare spese.
2. Quanti sms hai scritto oggi?
3. Ti piace il mio stile?
4. Queste scarpe costano molto.
5. Hai notizie di Mauro?

a. Ne ho spediti solo 30!
b. Sì, elegante ma pratico.
c. Lo sapete che mi annoio tantissimo!
d. Sì, l'ho incontrato proprio ieri!
e. Chiederò uno sconto.

3. Put the words back together and then use them to complete the following definitions.

1. L'energia che produce il vento: ....
2. Per comprare un vestito andiamo in un negozio di: ....
3. Riutilizzo dei rifiuti: ....
4. La mettiamo al collo d'inverno: ....
5. Quando vogliamo pagare un prezzo più basso chiediamo uno: ....

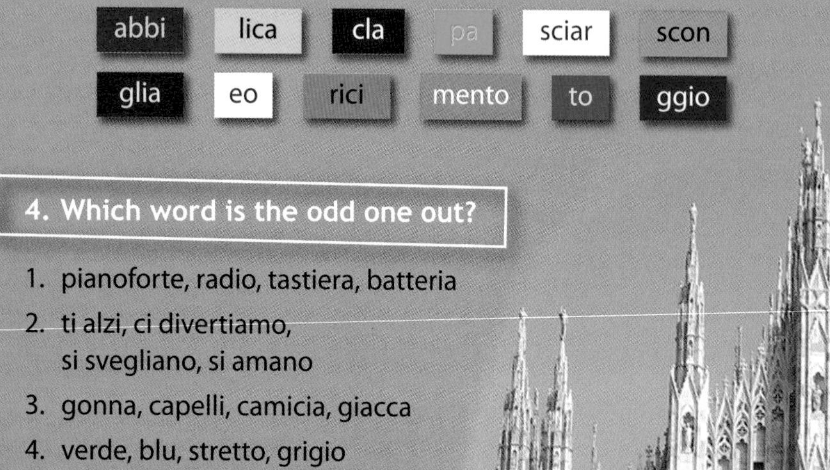

Il Duomo,
Milano

4. Which word is the odd one out?

1. pianoforte, radio, tastiera, batteria
2. ti alzi, ci divertiamo, si svegliano, si amano
3. gonna, capelli, camicia, giacca
4. verde, blu, stretto, grigio

Check your answers on page 170. Are you satisfied?

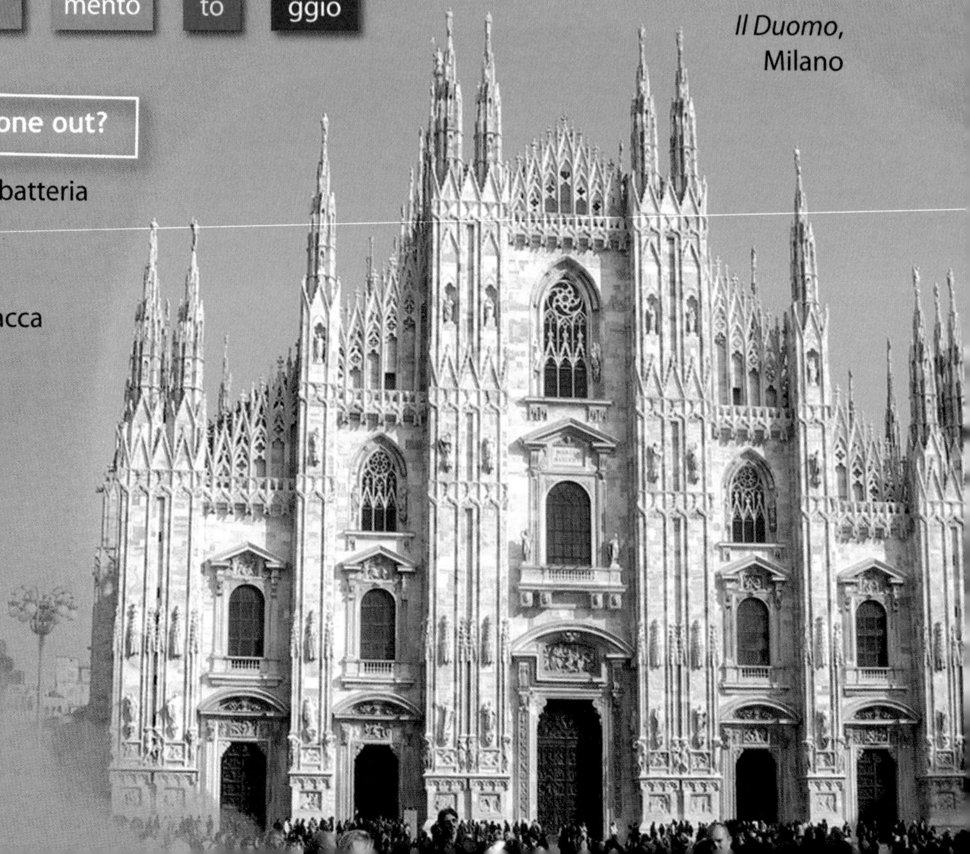

Facciamo sport

Per cominciare...

1 Work with a partner and match the words below to the correct picture.

3 pallacanestro | calcio | ciclismo | nuoto | pallavolo | tennis

2 What is your favourite sport and what is the most popular sport in your country?

23

3 Listen to the dialogue once and choose the correct option in each case.

1. Paolo invita Dino
   a. a casa sua
   b. allo stadio
   c. da Alessia

2. L'idea della canzone scelta è stata di
   a. Dino
   b. Chiara
   c. Alessia

3. Ligabue "si preoccupa" perché Dino
   a. è più bello di lui
   b. scrive canzoni più belle
   c. ha una voce più bella

4. Paolo propone a Dino di andare a
   a. correre
   b. giocare a pallacanestro
   c. giocare a calcio

in this unit... Glossary on page 164

1. ...we are going to learn to give an opinion, to apologise and seek consent, to ask for a favour or to borrow something, to talk about sport and sporting activities;

2. ...we are going to learn to use indirect object pronouns and to use indirect object pronouns in compound tenses;

3. ...we will find information on sporting activities, sport in Italy and on the ancient game of Florentine football.

A Ti posso dare un consiglio?

1 **Work with a partner. Try to fill in the missing words from memory and then listen to the recording again to check your answers.**

23

2 Summarise the dialogue orally using each of the following key words.

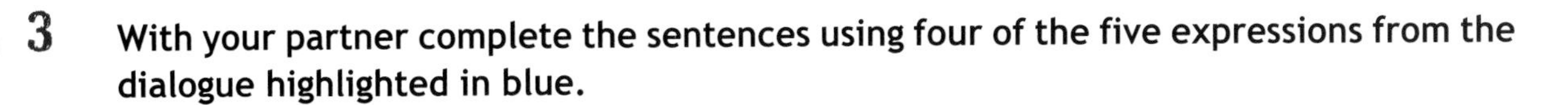

3 With your partner complete the sentences using four of the five expressions from the dialogue highlighted in blue.

1. Quando Alex ha visto Giorgia ....! Il problema è che lei sta con un altro...
2. Francesco vuole un nuovo ipod?! .... gli regalo un libro!
3. Antonio è molto intelligente, ma studiare non è proprio ....
4. -Come fai a mantenerti sempre ....?
   -Semplice, quattro volte alla settimana vado in piscina!

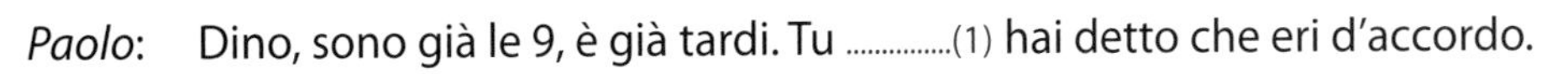

4 The next day Paolo calls Dino. With your partner complete their conversation using: gli, mi, le, ti, mi.

Dino: Pronto?

Paolo: Buongiorno! A che ora ti passo a prendere?

Dino: Ma sai che ore sono? Ma sul serio vuoi andare a correre così presto?

Paolo: Dino, sono già le 9, è già tardi. Tu ....(1) hai detto che eri d'accordo.

Dino: Va be', almeno ....(2) dai mezz'ora per fare colazione?

Paolo: Macché colazione? Si vede che non hai mai fatto sport in vita tua!

Dino: Scusa, ma io senza colazione non posso fare niente. E poi anche il tempo oggi non è molto...

Paolo: Dino, basta! Abbiamo deciso di andare a correre e lo faremo... E Ligabue? Non hai detto che ....(3) ruberai le fan?

Dino: Già, c'è anche questo... Però prima devo parlare con mia madre... ....(4) devo chiedere dov'è la mia tuta da ginnastica.

Paolo: Adesso?! Dino, sto per perdere la pazienza!

Dino: Ok, ok, un attimo che...

Paolo: Allora, ...(5) do 15 minuti: alle nove e un quarto sarò da te!

5 **Complete the table using three of the pronouns from the previous activity.**

I pronomi indiretti

A me la musica rock piace molto.	➪ La musica rock .... piace molto.
A te interessa il calcio italiano?	➪ .... interessa il calcio italiano?
Offro il mio aiuto a Carlo.	➪ Gli offro il mio aiuto.
Quando telefonerai a Elena?	➪ Quando .... telefonerai?
Signore/a, a Lei piace sciare?	➪ Signore/a, Le piace sciare?
A noi questa storia sembra strana.	➪ Questa storia ci sembra strana.
Alessia manderà un'e-mail a voi.	➪ Alessia vi manderà un'e-mail.
Ai miei genitori non chiedo molto.	➪ Non gli chiedo molto.
Telefono spesso a Rita e Tiziana.	➪ Gli telefono spesso.

p. 146

Note: Offro il caffè agli ospiti. ➪ Gli offro il caffè. / Offro loro il caffè.

6 **Study the table and then replace the parts in blue below with a pronoun as in the example.**

Farò una sorpresa a Chiara. ➪ *Le farò una sorpresa.*

1. A Letizia e a me piacciono i fumetti.
2. Cosa regali ai tuoi amici?
3. A te purtroppo non scrivo molto spesso.
4. Chiederò a Beppe di aiutarmi.

1 - 5

7 **Direct or indirect object pronoun? What is the difference? Look at the examples:**

Chiamo Paolo. ➪ Lo chiamo. Scrivo a Paolo. ➪ Gli scrivo.

Complete the sentences with lo, la, gli or le.

6

Ecco il giubbotto che voglio. .... comprerò durante i saldi.

Dov'è Pietro? .... devo dare il libro che mi ha prestato.

Non so se Marta viene più tardi. Ora .... telefono.

Io la partita non .... vedrò, vado a letto presto.

B Mi puoi dare una mano?

1 Indirect object pronouns can also be employed in expressions that are used to... Listen to the recording and match the functions (a-d) to a picture.

a. ...ask to borrow something

Ci presti il tuo pallone?

Mi dai in prestito questo dizionario?

b. ...give an opinion

Quel che dice non mi sembra logico.

Ti pare giusto?

c. ...apologise/seek consent

Mi dispiace, ma non ti posso aiutare.

Vi dà fastidio se apro un po'?

d. ...ask a favour

Senti, puoi farmi un favore?

Mi puoi dare una mano, per favore?

2 **Complete the sentences using the expressions we have been looking at.**

1. .... il nuovo cd di Giusy Ferreri? Lo voglio sentire stasera.
2. Giovanna, ... se apro un po' la finestra?
3. Ragazzi, ho un problema con la bici e non so che fare! Per favore, potete ....?
4. ...., ma non abbiamo voglia di giocare a pallacanestro.

Role-play

3 **Work with a partner. Choose three of the following scenarios and spend 1-2 minutes preparing an appropriate short conversation for each.**

A chiede qualcosa in prestito a B, che risponde
B esprime un parere su qualcosa che dice A (sullo sport)
A esprime dispiacere perché B è sempre in ritardo
A chiede un favore a B che risponde

7

4 **With your partner match the following words to the correct picture.**

☐ pallone ☐ rete ☐ porta ☐ canestro ☐ giocatore ☐ tifoso
☐ campo 6 allenatore 5 tiro ☐ arbitro ☐ scarpe sportive

8

STOP Fine Prima parte pagina 140

 Cosa vi hanno detto?

1 Look at the comic strip and try to tell the story. Afterwards listen to the dialogue and check your version.

25

25

2 **Listen to the dialogue again and tick the four statements that are true.**

1. Paolo chiama Alessia per raccontarle di Dino.
2. Alessia non sapeva niente di quello che era successo.
3. Questa non era la prima volta che Dino andava a correre.
4. Per fortuna l'ospedale era vicino al parco.
5. Dino, con le medicine che ha preso, non sente più dolore.
6. Alessia si preoccupa di Dino ma anche del concorso.
7. Dino è triste.
8. Giulia è andata subito a trovare Dino.

3 **Three expressions in the dialogue are highlighted in blue. Choose one and use it to make a sentence. When you have finished, compare your sentence to those of your classmates.**

....

4 **In the dialogue we saw "...gli ho detto che doveva..." and "...le ho appena telefonato...". What do you notice? Study the following table:**

I pronomi nei tempi composti

Pronomi diretti		Pronomi indiretti
Mi ha visto/a ieri.		Mi ha detto la verità.
Ti ho convinto/a?		Ti ho spiegato tutto.
L'ho conosciuto tempo fa.		Gli abbiamo regalato un libro.
L'ho invitata a casa mia.	*but*	Le ho portato fortuna.
Ci ha chiamato/i/e Andrea.		Ci hanno prestato le loro bici.
Vi abbiamo presentato/i/e a tutti.		Vi ho telefonato più volte.
Li ho portati a casa.		Gli ha spedito un'e-mail.
Le ho prese in giro.		Gli ho offerto un po' di torta.

p. 147

5 **Replace the parts highlighted in blue below with an indirect object pronoun and rearrange the sentences as necessary.**

1. Ho fatto vedere a Giacomo le foto che avevo fatto a Roma.
2. Hai raccontato a Flavio e a Nadia l'intero film?
3. Ho inviato un messaggio a mio padre perché si preoccupava.
4. A Carla abbiamo regalato una bellissima borsetta.
5. Ma a voi ho già detto tutto quello che sapevo.

9-11

B Siete in forma?

1 Follow... your answers to see whether you are in good shape or not.

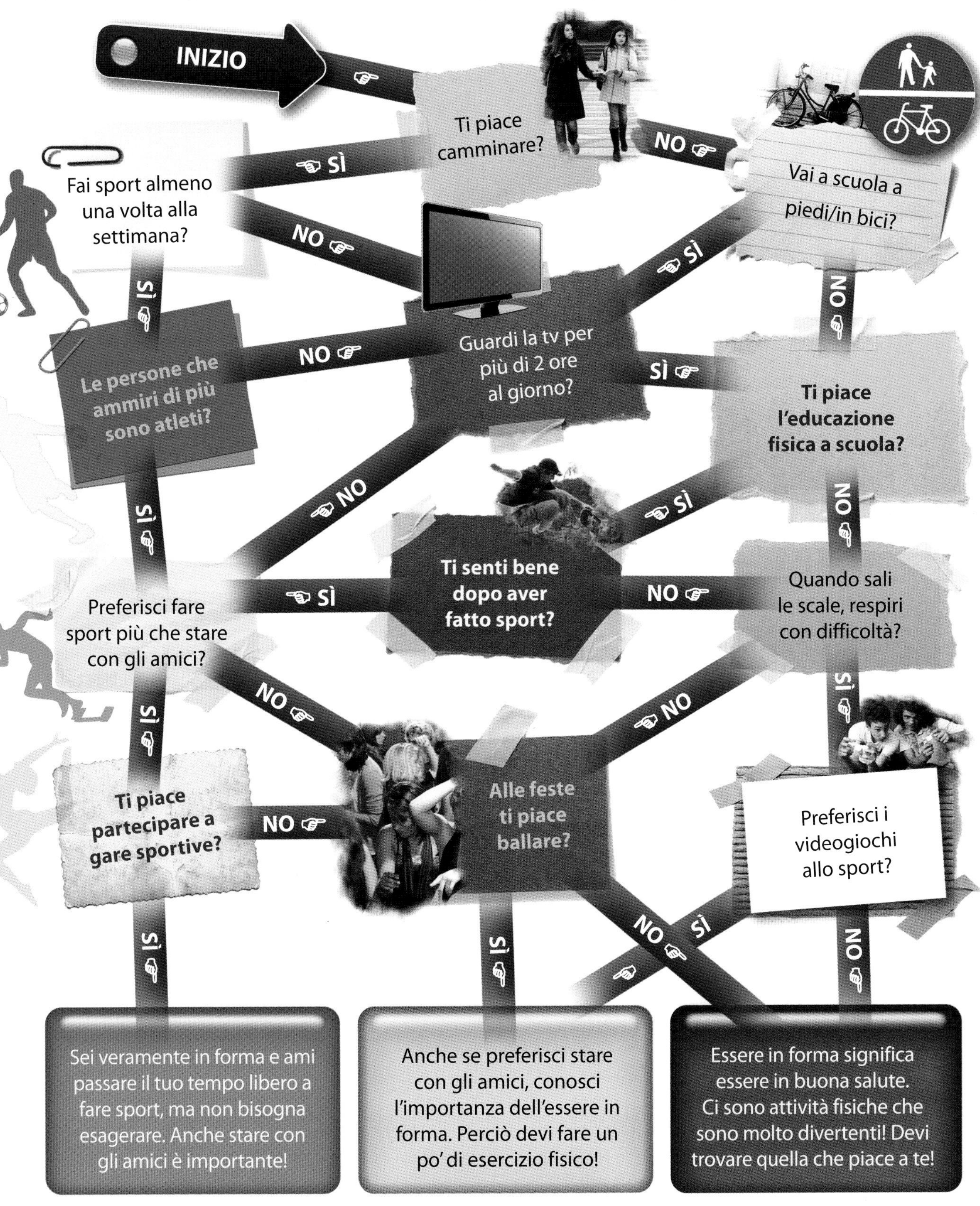

Sei veramente in forma e ami passare il tuo tempo libero a fare sport, ma non bisogna esagerare. Anche stare con gli amici è importante!

Anche se preferisci stare con gli amici, conosci l'importanza dell'essere in forma. Perciò devi fare un po' di esercizio fisico!

Essere in forma significa essere in buona salute. Ci sono attività fisiche che sono molto divertenti! Devi trovare quella che piace a te!

2 How many of you fall into the green category, how many into the orange, and how many into the red? Do you agree with the outcome and the subsequent advice? Discuss the results.

Sport: seguirlo o praticarlo?

1 The results of a recent survey on young Italians and sport are shown below. With a partner, look at the two graphs and try to draw conclusions. In your opinion, what are the reasons for these results and the likely consequences?

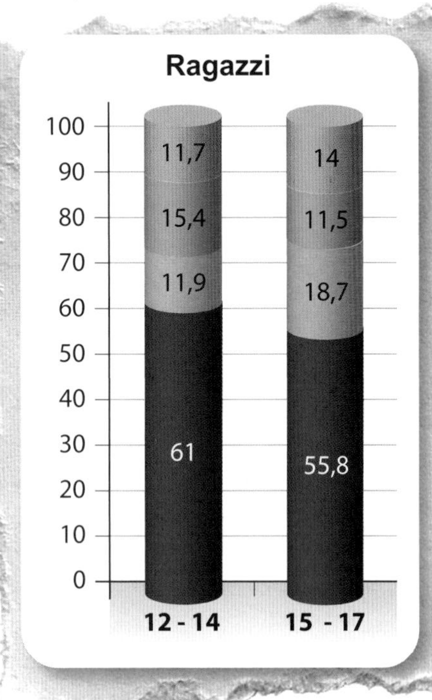

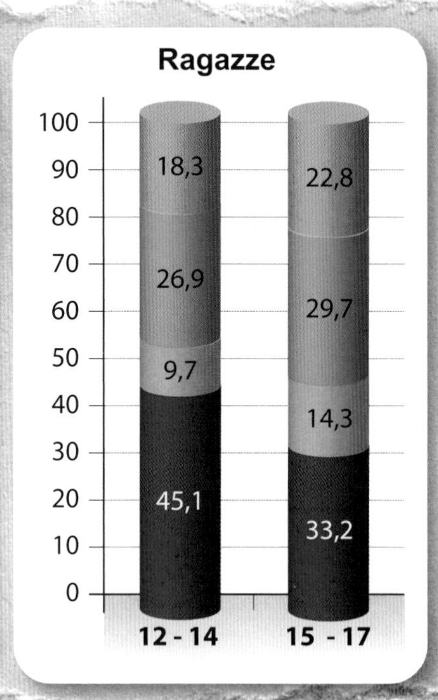

Blu: fanno sport con continuità
Grigio: fanno sport ogni tanto
Azzurro: fanno solo qualche attività fisica
Giallo: né sport né attività fisica

Fonte: ISTAT

2 What are the benefits of sport; why do people engage in sports? Discuss possible answers. Then, with your partner, rate the following reasons from 1-7 based on how important they are to you.

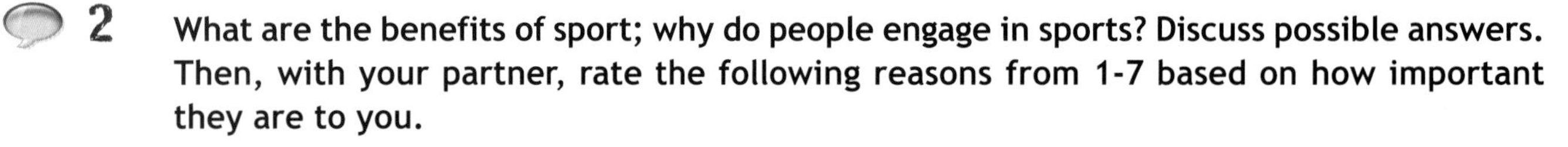

Divertirsi	Piacere, passione	Tenersi in forma	Frequentare altre persone	Stare in mezzo alla natura	Scaricare lo stress	Per i valori che trasmette

3 Describe these two photos. Then, working with a partner, find at least two differences between these two types of physical activity.

4 **As you know, any kind of physical activity will help to keep us in shape. Look at the following statistics*: which of these activities do you do most often?**

vestirsi e lavarsi 26 correre piano 90 correre velocemente 164
camminare lentamente 29 camminare allegramente 52 fare skateboard 80
salire le scale 146 scendere le scale 56 andare in bici 42 ballare 86

* calorie bruciate in 10 minuti di attività per una persona di 60 chili

12

D Abilità

1 **Listen to the interviews once and tick the football teams mentioned.**

☐ Inter ☐ Milan ☐ Roma ☐ Juventus

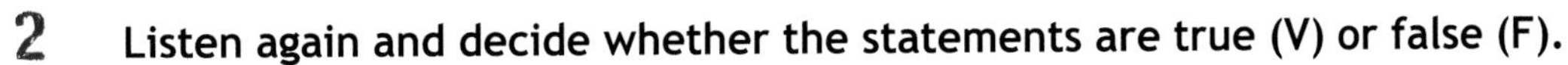

2 **Listen again and decide whether the statements are true (V) or false (F).**

	V	F
1. Tutte e due le ragazze praticano danza.	☐	☐
2. Uno dei due ragazzi giocava a calcio in una squadra.	☐	☐
3. La ragazza che gioca a pallanuoto si allena ogni domenica.	☐	☐
4. Un ragazzo tifa Milan.	☐	☐
5. Le due ragazze sono tifose della Juventus.	☐	☐
6. Un ragazzo va allo stadio solo per le partite importanti.	☐	☐
7. Tutti e due i ragazzi preferiscono vedere le partite alla tv.	☐	☐
8. Uno dei due ragazzi va allo stadio ogni domenica.	☐	☐

3 **Parliamo e scriviamo**

1. Parlate del vostro rapporto con lo sport, ora o nel passato: se e quale sport o altro esercizio fisico praticate, quando ecc. Se non fate sport potete spiegare perché?

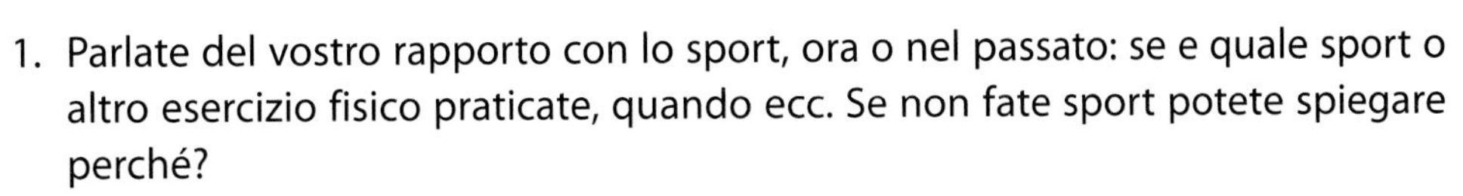

2. Secondo voi, ci sono sport "da uomo" e "da donna"? Scambiatevi idee e motivatele.
3. Cosa sapete dello sport italiano: personaggi, squadre, successi? Scambiatevi informazioni.

Role-play

4. Sei *A*: sei una persona molto sportiva. Non lo è invece il/la tuo/a amico/a del cuore! Cerchi di convincerlo/a a cominciare a fare sport per una serie di motivi.

   Sei *B*: sei un po' pigro/a e, anche se in realtà capisci l'importanza dello sport, trovi sempre una scusa a tutto quello che ti dice *A*. Alla fine, decidi di...
5. Scrivi a un/a tuo/a amico/a e parlagli/le della tua decisione di cambiare stile di vita e fare più esercizio fisico, spiegandone i motivi. E siccome hai bisogno di... sostegno cerchi di convincerlo/a a fare sport con te!

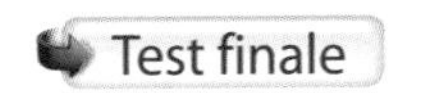
Test finale

Lo sport in Italia

1 Look at the questions on page 75. Do you know any of the answers? Read the texts and answer the questions.

Il **calcio** è lo sport più popolare e quello che ha portato i maggiori successi: la nazionale di calcio, i famosi *Azzurri*, ha vinto quattro volte i mondiali! D'altra parte, il *Campionato* italiano ospita grandi giocatori stranieri e le squadre italiane sono riuscite a conquistare tantissimi titoli europei e mondiali. L'antagonismo è molto forte, specialmente tra squadre della stessa città: Milan e Inter, Juventus e Torino, Roma e Lazio.

La **pallacanestro** e la **pallavolo** sono sport molto seguiti e praticati. Sia le squadre italiane di pallacanestro, sia soprattutto quelle di pallavolo, hanno conquistato non pochi titoli a livello internazionale.

La **ginnastica** ha dato all'Italia diverse soddisfazioni, con le "giovani azzurre" che hanno ottenuto dei buoni successi. Un "mito" italiano è Jury Chechi, cinque volte campione del mondo e una volta olimpionico.

Il **ciclismo** ha in Italia una lunga tradizione. Famoso è il *Giro d'Italia*, una dura gara che copre l'intero Paese e attira, oltre a tanti spettatori e telespettatori, anche i migliori ciclisti del mondo.

L'**automobilismo** è molto seguito, soprattutto grazie alla *Ferrari*, considerata una squadra nazionale, ma con milioni di sostenitori in tutto il mondo. Se vince al Gran Premio di Monza, allora l'entusiasmo è ancora più grande.
Popolarissime sono anche le gare di moto, grazie ai successi dei piloti italiani, come ad esempio Valentino Rossi, considerato il più grande di tutti i tempi, ma anche della *Ducati*.

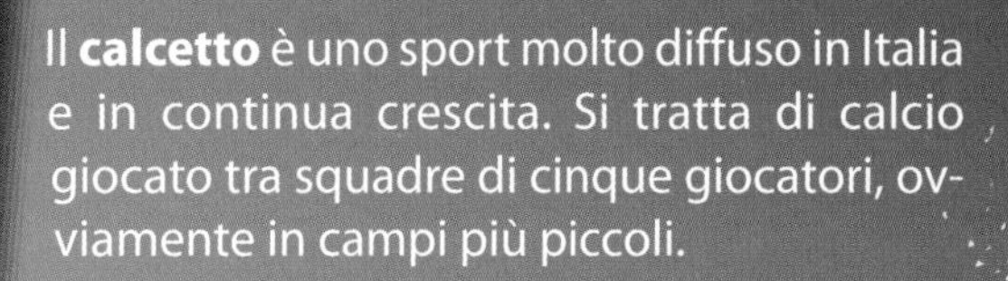

Il **calcetto** è uno sport molto diffuso in Italia e in continua crescita. Si tratta di calcio giocato tra squadre di cinque giocatori, ovviamente in campi più piccoli.

Se la pallacanestro è un'invenzione americana (1891), secondo alcuni il calcio si è basato su uno sport praticato in Italia dal Medioevo fino a oggi: il calcio fiorentino... un misto di calcio e rugby. Per circa 4 secoli, dal Trecento al Settecento, i giovani fiorentini giocavano per le strade e le piazze della città (tra loro anche alcuni personaggi storici). Dal 1930 e fino a oggi, il calcio "storico" è una delle attrazioni di Firenze, con dure partite fra i quartieri della città.

1. Di quale città è l'Inter?
2. Quale nazionale italiana ha più successi, quella di pallacanestro o di pallavolo?
3. Cosa sapete di Valentino Rossi?
4. Cos'è la Ferrari per gli italiani?
5. Cos'è il Giro d'Italia?
6. Cos'è il calcio fiorentino?

2 **Go to the website for online @ctivities on sport in Italy.**

3 Progettiamo!

1 Fate un'indagine fra le altre classi della vostra scuola: quali sport praticano i ragazzi, quali le ragazze e quanto spesso. Inoltre, per quali squadre, del vostro Paese e/o italiane, fanno il tifo. Se non fanno sport, chiedete il motivo. Alla fine riferite i risultati e cercate di fare una statistica per classe e per sesso, simile a quella di pagina 72.

2 Un gruppo, composto da 3 o 4 ragazzi, farà un esperimento: troverà le foto di 3-4 famosi atleti italiani (calciatori, piloti ecc.) e di 2-3 note squadre di calcio. Le farà vedere a un gruppo di ragazze di un'altra classe, chiedendo cosa ne sanno (chi sono gli atleti e quali o di quale città sono le squadre). Poi riferiranno le percentuali di risposte corrette.

3 Create un quiz sullo sport italiano: prima trovate 4-5 grandi successi dello sport italiano: coppe mondiali, conquiste della Champions League, record di vittorie (automobilismo, atletica leggera ecc.). Poi fate delle domande ai vostri amici, anche al di fuori della classe (ad es. "Sai quanti titoli mondiali ha vinto Valentino Rossi? 3, 5 o 10?"). Riferite in classe la percentuale di risposte esatte.

What do you remember from Units 4 and 5?

1. Sapete...? Match the two columns.

1. chiedere un parere
2. chiedere qualcosa in prestito
3. parlare del colore
4. parlare della taglia
5. esprimere dispiacere

a. Il fumo mi dà fastidio.
b. Lo preferisco nero.
c. Ti pare giusto?
d. Mi puoi prestare il tuo quaderno?
e. Avete una 38?

2. Match the sentences.

1. Che ne pensi di questo maglione?
2. Scusate ragazzi,
3. Hai offerto qualcosa agli ospiti?
4. Ilaria? No, non l'ho vista,
5. Quando viene papà,

a. ma le ho telefonato.
b. gli racconterò tutto!
c. ma non mi va di vedere un film horror.
d. Ti sta benissimo!
e. Sì, gli ho portato un caffè e dei dolci.

3. What sports are these? The first letter has been provided.

1. A................................
2. P................................
3. C................................
4. P................................

4. Pick out the pronouns from the following sentences and put them in the correct column of the table.

Pronomi diretti	Pronomi riflessivi	Pronomi indiretti

1. Luca si sveglia ogni giorno alle 7.30.
2. Quando la vedo le racconto tutta la verità!
3. Non ti sento bene, puoi parlare più forte?
4. Non ti piace il calcio? Incredibile!
5. Mario ha una faccia strana, forse non si sente bene.

Check your answers on page 170.
Are you satisfied?

La Torre pendente, Pisa

L'ora della verità!

Unità 6

Per cominciare...

1 **What kind of music do you listen to most? Complete the table below and then compare notes with your classmates.**

genere musicale...	la adoro :) :)	la ascolto con piacere :)	non la sopporto! :(
da ballo			
pop			
rock			
heavy metal			
italiana			
altro:			
altro:			

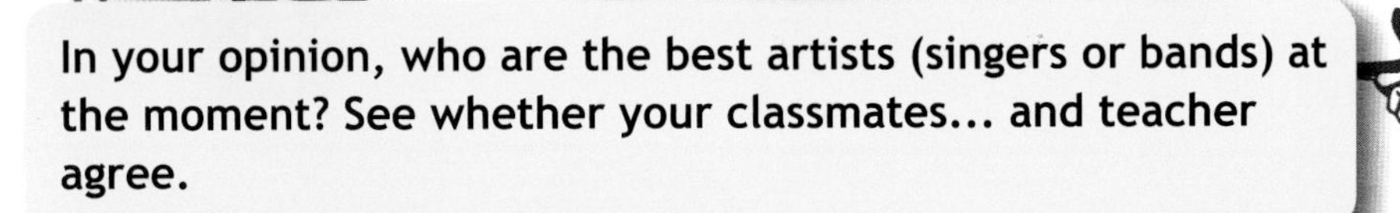

2 **In your opinion, who are the best artists (singers or bands) at the moment? See whether your classmates... and teacher agree.**

27 **3** **Listen to the dialogue once and, very briefly, say what you have understood.**

27 **4** **Listen again and tick the 5 statements that are true.**

1. Chiara e Giulia si preoccupano del ginocchio di Dino.
2. Dino sta così bene che pensa di fare sport.
3. Anche Dino è molto preoccupato per il concorso.
4. Paolo dice che se necessario sostituirà lui Dino.
5. Paolo non ha fatto nessuna prova insieme al gruppo.
6. La squadra di Paolo ha vinto il campionato.
7. Per Paolo non sarà facile arrivare in tempo al concorso.
8. Per tutti i ragazzi la presenza di Paolo è molto importante.

In this unit...

Glossary on page 165

1. ...we are going to learn to give orders, permission, instructions, advice and warnings, and to ask for and give directions;
2. ...we are going to learn to use the direct (informal) imperative, its irregular forms and how to use it with pronouns;
3. ...we will find information on Italian music and the Italian artists that are most popular among youngsters.

A Cerca di esserci!

1 Work with a partner. Try to complete the dialogue using the words provided. Be careful, though: there are two extra words! Listen to the dialogue again to check your answers.

27

sostituirlo forma stressato scusate felice tempo vederci esserci mancare

2 Look at the comic strip again and try to summarise the conversation orally.

3 Working with your partner, study the following expressions. Which of the expressions highlighted in blue in the dialogue do they correspond to?

non dare fastidio a qualcuno
in cattive condizioni
fare del proprio meglio
accompagnare qualcuno in macchina
avere un incidente che provoca dolore
riuscire a fare qualcosa

4 A few days later Dino and Paolo text each other. Complete their text messages using the words provided.

5 **Complete the following table using two of the verbs from the previous activity.**

L'imperativo diretto (verbi regolari)

	cercare	**prendere**	**aprire - finire**
tu	cerca!	................................!	apri! - finisci!
noi	cerchiamo!	prendiamo!	apriamo! - finiamo!
voi	................................!	prendete!	aprite! - finite!

Turn to the grammar section, on page 148, for the imperative of the verbs essere *and* avere.

6 **Complete the sentences with the verbs provided (note: they are not in order).**

1. .... di più! I tuoi voti sono molto bassi!
2. Ragazzi, basta con i videogiochi: ....! Giocate a calcio!
3. Mario, ... la luce! Ieri l'hai dimenticata accesa!
4. Andremo al cinema stasera: .... con noi!
5. .... come volete!

1 - 4

7 **In dialogue A1 we also saw the verb forms "calmati" and "lascialo". What do you notice? With a partner complete the following sentences using ne, gli, la and ti.**

Turn to page 148 for more on using the imperative with pronouns.

5

B Usi dell'imperativo

1 Listen to the sentences and match them to the pictures. Be careful, though: there are two extra sentences!

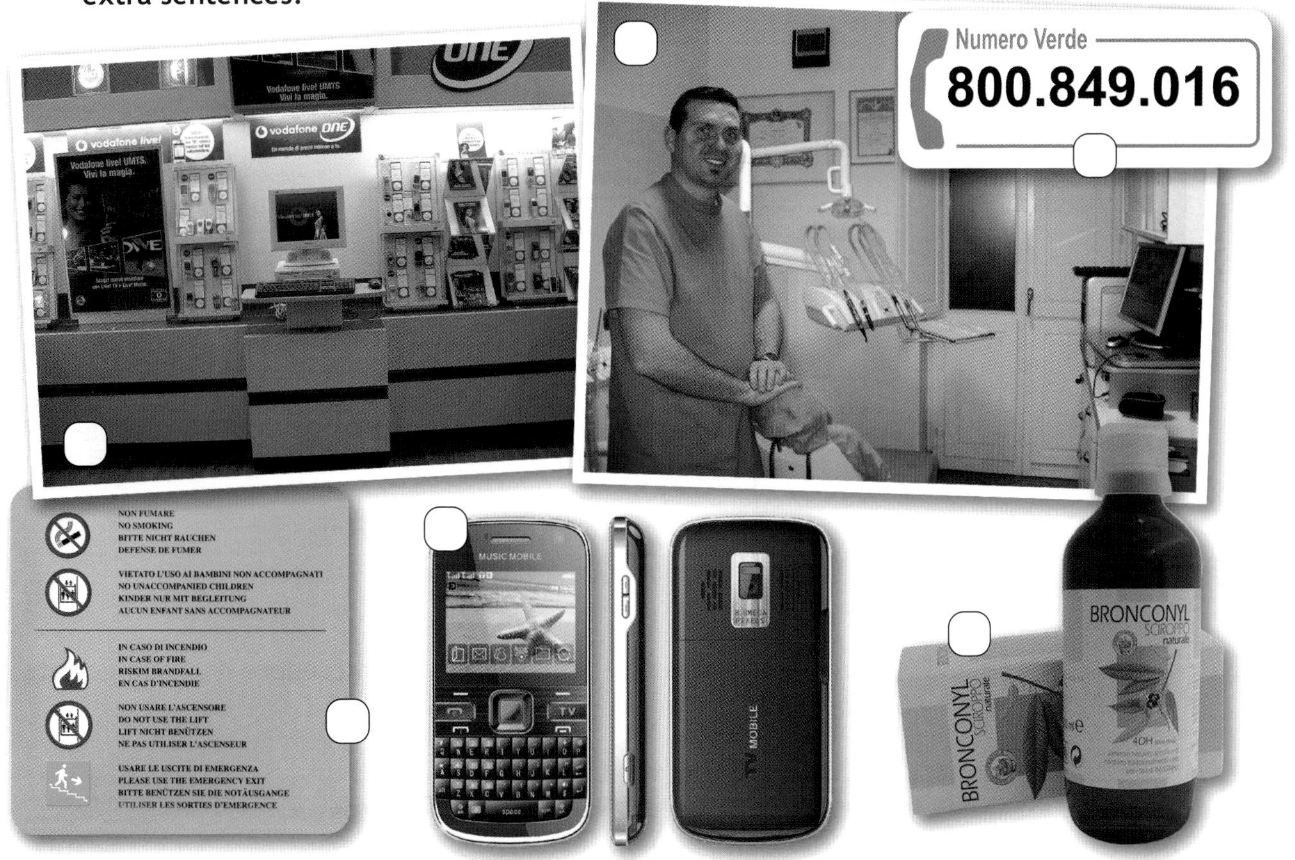

2 Listen to the sentences again. In your opinion, what function does each of the sentences serve? Write the correct letter in the appropriate column and then see whether your classmates agree. Some of the sentences can have more than one function.

dare ordini	dare istruzioni	proibire	dare consigli	pubblicità	avviso pubblico
				B	

3 With a partner, put the following words in the correct order to produce sentences. Using the categories above, decide what function you think each of the sentences serves.

1. il | spegnete | entrate | quando | cellulare | in | classe!
2. ti | bene | comprala! | questa | se | maglietta | sta
3. Toscana, | in | vivi | magica! | un'esperienza | vieni
4. qui | rifiuti, | non | carta! | solo | gettate
5. su | selezionate | cliccate | "stampa"! | l'immagine | e

4 **In pairs, you are going to play noughts and crosses. Person A must use one of the verbs given below to make a sentence that serves one of the functions listed on the previous page. If he/she manages it, he/she earns the right to put a O or a X anywhere in the grid below. Then it is person B's turn to do the same thing using one of the other verbs, and so on. You can only use each verb once, but can use each function as often as you like.**

5 **In activities B1 and B2 we heard and read the verb forms** non credere **and** non gettate**. Complete the following table. What do you notice?**

L'imperativo negativo

	gettare	**credere**	**aprire / finire**
tu	non gettare!	non cred............!	non aprire! / non finire!
noi	non gettiamo!	non crediamo!	non apr............! / non finiamo!
voi	non gett............!	non credete!	non aprite! / non finite!

p. 148

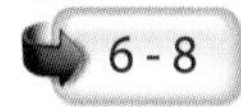

6 **Find below various instructions and warnings concerning MP3 players. Rebuild the sentences: decide whether the subject of the sentence is *tu* or *voi*, and whether the sentence needs to be negative or not.**

portare le cuffie sulla bici
ascoltare a lungo ad alto volume
scollegare mentre è in corso la sincronizzazione
scaricare canzoni solo da siti sicuri
usare in classe
premere il tasto rosso per spegnere

Can you think of any other instructions or warnings?

A Non ci prendere in giro!

1 Look at the comic strip on this page. What is going to happen, in your opinion? Listen to the dialogue to find out.

30

2 Listen to the dialogue again and, without looking at the text, select the correct option in each case below.

1. Il presentatore trova il nome del gruppo
   a. molto bello
   b. brutto
   c. un po' strano
   d. molto lungo
2. Dopo aver cantato, Dino
   a. è soddisfatto
   b. è deluso
   c. chiama Paolo
   d. riceve un sms da Paolo
3. Secondo Paolo, i ragazzi
   a. non hanno cantato molto bene
   b. hanno cantato benissimo
   c. hanno cantato meglio degli altri
   d. non meritano di vincere
4. Alla fine il gruppo vince un viaggio
   a. a Roma
   b. a Milano
   c. a Siena
   d. a Firenze

3 There are two verbs highlighted in blue in the dialogue. Study them and then complete the following table. What do you notice?

L'imperativo negativo con i pronomi

Non tenerlo! / Non lo tenere!
Non mi prendere in giro! / Non prender.......... in giro!
Non le telefoniamo! / Non telefoniamole!
Non preoccupatevi! / Non .... preoccupate!

p. 148

4 Answer the questions as in the example.

Vuoi mangiare questo gelato? a. Mangialo! / b. Non mangiarlo!

1. Volete telefonare a Debora?
2. Vuoi prendere questa rivista?
3. Volete comprare questi libri?
4. Dovete alzarvi presto?

9 e 10

B Gira a destra!

1 Listen to the short dialogues and tick the expressions you hear.

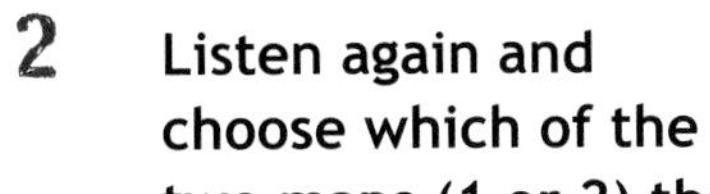

- *al primo incrocio*
- *gira a destra*
- *gira a sinistra*
- *va' sempre dritto*
- *è la quarta strada*
- *poi gira subito*

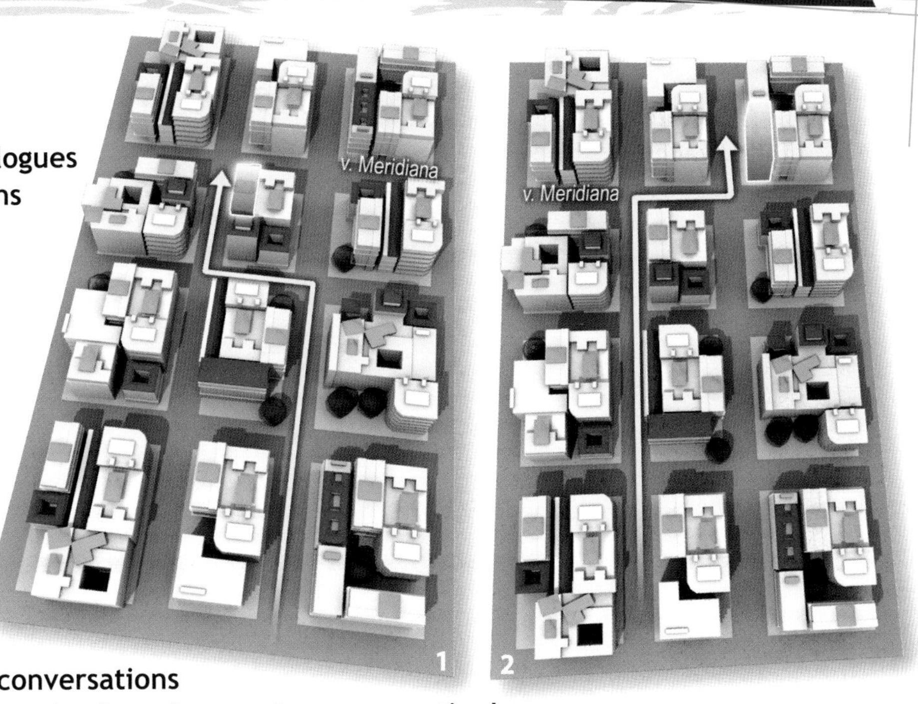

2 Listen again and choose which of the two maps (1 or 2) the conversations refer to. Be careful, though: there is an extra conversation!

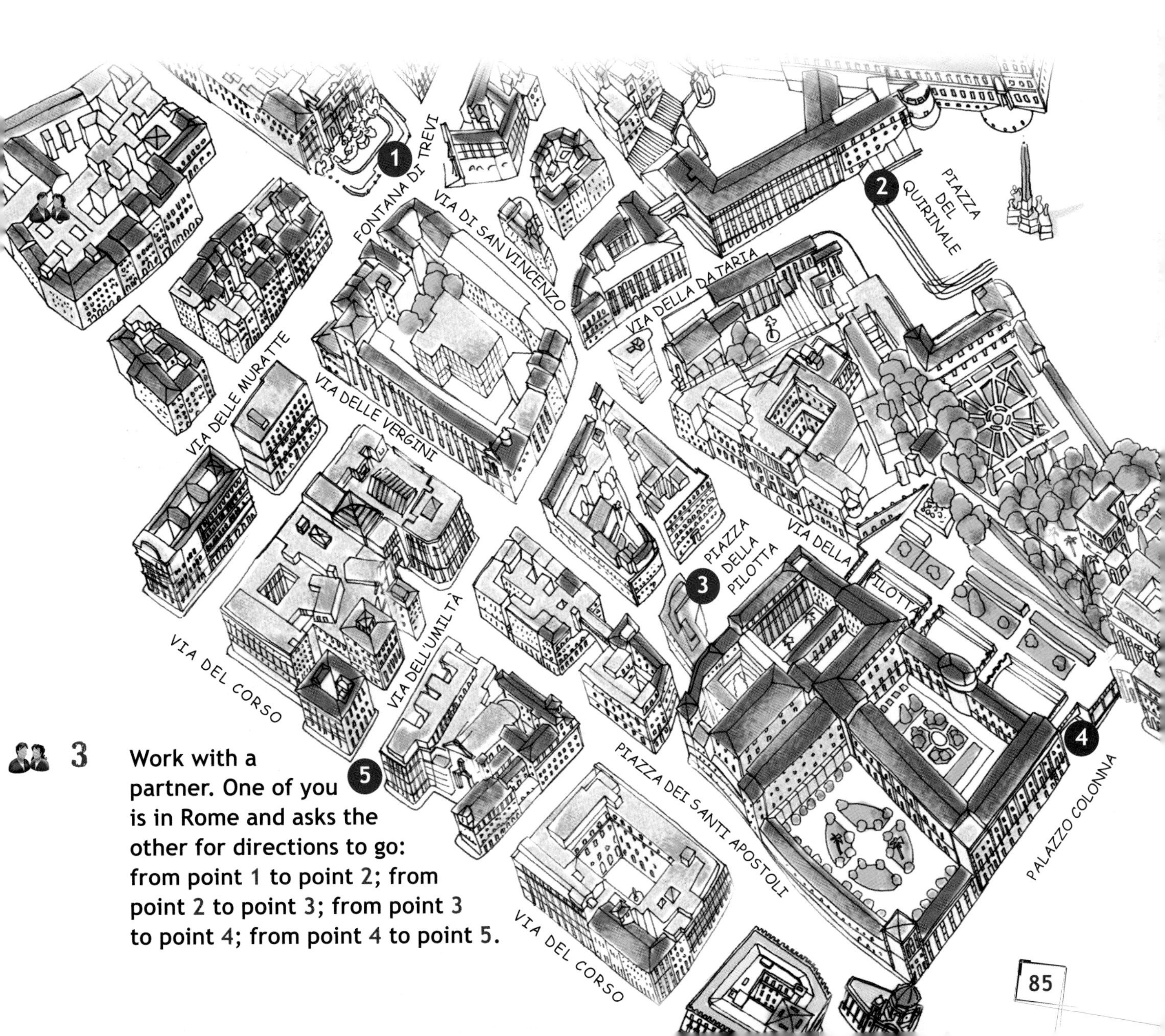

3 Work with a partner. One of you is in Rome and asks the other for directions to go: from point 1 to point 2; from point 2 to point 3; from point 3 to point 4; from point 4 to point 5.

4 In the conversations from activity 1 we saw and heard the verb forms "va' sempre dritto" and "dimmi". Which verbs are they, do you think? Complete the table using: di', da', fallo, vacci.

L'imperativo irregolare

andare	**dare**	**dire**	**fare**	**stare**
va'	....	....	fa'	sta'
andiamo	diamo	diciamo	facciamo	stiamo
andate	date	dite	fate	state
+ ci = ...	+ le = dalle	+ mi = dimmi	+ lo = ...	+ ci = stacci

p. 148

11 e 12

C La verità della musica!

1 Did you know that song titles can reveal a lot? With a partner, do the following test to find out what! Choose either the red or the blue questions and follow the instructions.

Istruzioni

1. Impostate il lettore mp3, ipod o cellulare su "riproduzione casuale (delle canzoni) / shuffle".
2. Ad ogni domanda premete "avanti".
3. Usate il titolo della canzone come risposta, anche se non ha senso. Cercate di dare anche la traduzione del titolo in italiano.
4. Commentate l'effetto della risposta.

Esempio: "Cosa pensi del tuo insegnante?"
Risposta (titolo canzone): "Leave me alone" - Pink. Traduzione: "Lasciami solo/a"

Come ti senti oggi?
Com'è la tua vita in questo periodo?
Cosa ti aspetta domani?
Che hai in programma per questo weekend?
Qual è il tuo più grande segreto?
Che rapporto hai con la tua famiglia?

Che rapporto hai con i tuoi amici?
Con l'altro sesso?
E i giorni di scuola?
Qual è la canzone adatta al tuo miglior amico?
Qual è la canzone adatta al tuo peggior nemico?
Dove arriverai nella tua vita?

2 Choose the funniest answer and tell the class what it is. If you liked the test, have another go using the other set of questions.

Vocabolario e abilità

1 **Complete the sentences using one of the words provided.**

festival testi suona autore tournée cantante

1. Quest'estate gli Zero Assoluto faranno una .... in Italia.
2. Tiziano Ferro è un .... italiano famoso anche all'estero.
3. Eros Ramazzotti compone anche i .... delle sue canzoni.
4. Nei suoi concerti Ligabue .... la chitarra.
5. Con *La solitudine*, che ha cantato al .... di Sanremo, Laura Pausini è diventata subito famosa.
6. Nek è l' .... di una bellissima canzone: "Laura non c'è". Ma non si riferiva a qualche cantante!

13

32 **2** **Ascolto** (turn to the Workbook, page 135)

3 **Parliamo**

1. Quanto è importante per te la musica? In quali momenti la ascolti?
2. Di solito compri cd o scarichi musica da internet?
3. Come ti informi sulle novità musicali? Negozi di dischi, canali musicali, amici, riviste o altro?
4. Quanto è diffusa la musica italiana nel tuo Paese? Quali sono gli artisti più noti?

Role-play

4 **Situazione**

A e *B* vogliono fare un regalo ad un amico comune che ama molto la cultura italiana in genere. *A* propone di regalargli uno tra i numeri 1, 2 e 3, mentre *B* uno tra i numeri 4, 5 e 6. Immaginate il dialogo dove ognuno spiega le sue preferenze e concludete scegliendo il regalo.

5 **Scriviamo**

1. Scrivi un'e-mail a un'amica italiana per informarla sulle ultime notizie del/della vostro/a cantante preferito/a e per descrivere il suo nuovissimo videoclip, che trovi molto originale! *(100-120 parole)*
2. *Progetto italiano Junior 2* si conclude qui. Scrivi, in 120-140 parole, l'intera storia dei 5 protagonisti in questo volume, dalla prima unità fino alla sesta.

Test finale

Musica italiana

Laura Pausini è diventata famosa ad appena 18 anni con *La solitudine*, vincendo a Sanremo nella sezione "Nuove proposte". Ogni suo nuovo cd vende milioni di copie in tutto il mondo ed è particolarmente popolare in America, poiché canta anche in spagnolo e in inglese. Ha vinto il Grammy Award.

È diventato famoso dopo aver vinto il Festival di Sanremo con *Adesso tu*. Con le sue canzoni d'amore **Eros Ramazzotti** ha conquistato le classifiche di tutto il mondo, con molti milioni di dischi venduti e collaborando con alcuni dei più importanti artisti della musica mondiale.

Tiziano Ferro è arrivato al successo molto giovane con *Perdono*. Autore di musica e testi delle sue canzoni, canta anche in spagnolo ed è oggi uno dei cantanti italiani più conosciuti al mondo. Ha vinto due MTV awards e collabora con grandi artisti, italiani e non.

Lorenzo Cherubini ha cominciato come dj per diventare poi cantautore di grande successo. Passato dal rap alla musica etnica, **Jovanotti** è uno dei più importanti cantautori italiani.

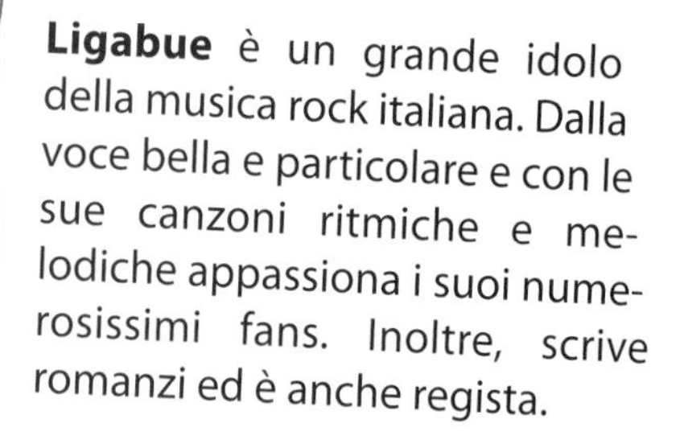

Ligabue è un grande idolo della musica rock italiana. Dalla voce bella e particolare e con le sue canzoni ritmiche e melodiche appassiona i suoi numerosissimi fans. Inoltre, scrive romanzi ed è anche regista.

Amatissimo soprattutto dai giovani, **Vasco Rossi** è protagonista della musica rock italiana ed è considerato una leggenda: oltre ai milioni di dischi venduti, i suoi concerti hanno spesso avuto più di 100.000 spettatori.

Giusy Ferreri è un caso a parte. Non solo per la sua bella voce, ma anche perché è diventata famosa grazie a un talent show, *X factor*! In pochi anni, con il suo talento (compone alcune delle sue canzoni) ha conquistato le classifiche italiane e internazionali.

Il Festival della canzone italiana di **Sanremo** si svolge dal 1951 e sul suo palcoscenico hanno cantato quasi tutti i più importanti artisti italiani. Nella sua versione moderna dura cinque serate e oltre ai "big" premia anche le "nuove proposte" della musica italiana.

Molto amati dai giovani sono anche alcuni gruppi musicali, come gli *Zero Assoluto* (foto), *Le vibrazioni* ecc.

1 **Mini quiz. What do the following have in common?**

Eros Ramazzotti e Laura Pausini?
Ligabue e Vasco Rossi?
Tiziano Ferro e Laura Pausini?

2 **Go to the website for online @ctivities on modern Italian music.**

Un concorso musicale tra scuole

3 **Progettiamo!**

1 *Sanremo in classe!* In coppie create mini presentazioni multimediali (fino a 3 minuti) di cantanti italiani (magari quelli visti in queste pagine) e, usando programmi come Powerpoint, Movie maker ecc., fate vedere e soprattutto ascoltare ai compagni foto, videoclip, versi e pezzi di canzoni. Alla fine, tutti insieme votate i 3 cantanti che vi piacciono di più. Se pubblicate le vostre presentazioni su internet, potranno votare anche le altre classi! La stessa attività si può fare anche su dei cartelloni con brevi informazioni, foto e versi di canzoni, da appendere in classe.

2 Girate un videoclip! Scegliete una canzone italiana che vi piace molto e con voi come protagonisti create una storia per accompagnare i versi. Potete usare anche sequenze di foto e versi sullo schermo (usate i programmi dell'attività 1). Caricate, se volete, i vostri video su youtube.

3 Scegliete uno dei dialoghi di *Progetto italiano Junior 2*, quello che più vi piace, e girate un vostro film! Potete usare esattamente il testo del libro o creare una vostra versione. Il gruppo sarà composto da un regista, che magari terrà la videocamera (o il cellulare), e 2-4 attori. Quest'attività può diventare un concorso: vince il video più divertente!

What do you remember from Units 5 and 6?

1. Sapete...? Match the two columns.

1. dare ordini
2. dare indicazioni stradali
3. esprimere un desiderio
4. dare istruzioni
5. esprimere dispiacere

a. Con questo caldo mi va un bel gelato!
b. Non mangiare troppe patatine!
c. Non ti posso aiutare, mi dispiace tanto.
d. Dopo l'incrocio, gira a destra.
e. Digitate "2" e attendete il segnale.

2. Match the sentences.

1. Se non hai letto questo libro,
2. Dopo 300 metri
3. Se vedete Giorgio
4. L'arbitro non ci ha dato
5. Se ti piace quel vestito,

a. un rigore.
b. compralo, ci sono i saldi!
c. leggilo, è bellissimo!
d. ditegli che devo parlargli.
e. gira a sinistra.

3. Complete the sentences.

1. Un .... di calcetto è molto più piccolo di uno di calcio.
2. L'.. del Milan ha litigato con i suoi giocatori.
3. Dopo il semaforo, vai sempre dritto fino al prossimo ....
4. Voglio comprare il biglietto per il .... di Laura Pausini.
5. Ligabue non scrive solo la musica, ma è anche .... dei testi.

4. Which word is the odd one out?

1. vacci!, fallo!, dimmi!, guardalo!
2. destra, fermata, sinistra, dritto
3. calcio, pallacanestro, ciclismo, pallavolo
4. cantante, partita, festival, tournée

Check your answers on page 170. Are you satisfied?

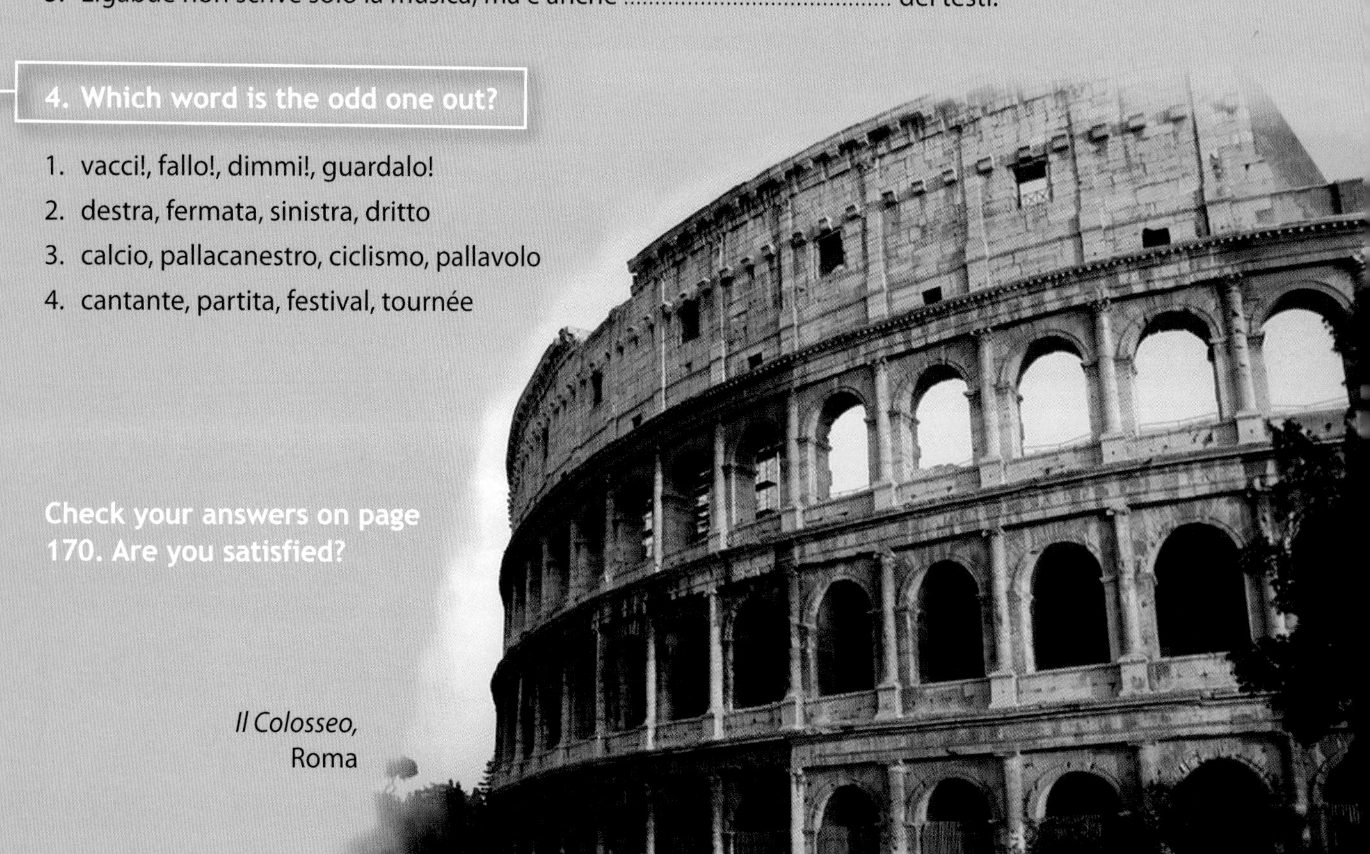

Il Colosseo, Roma

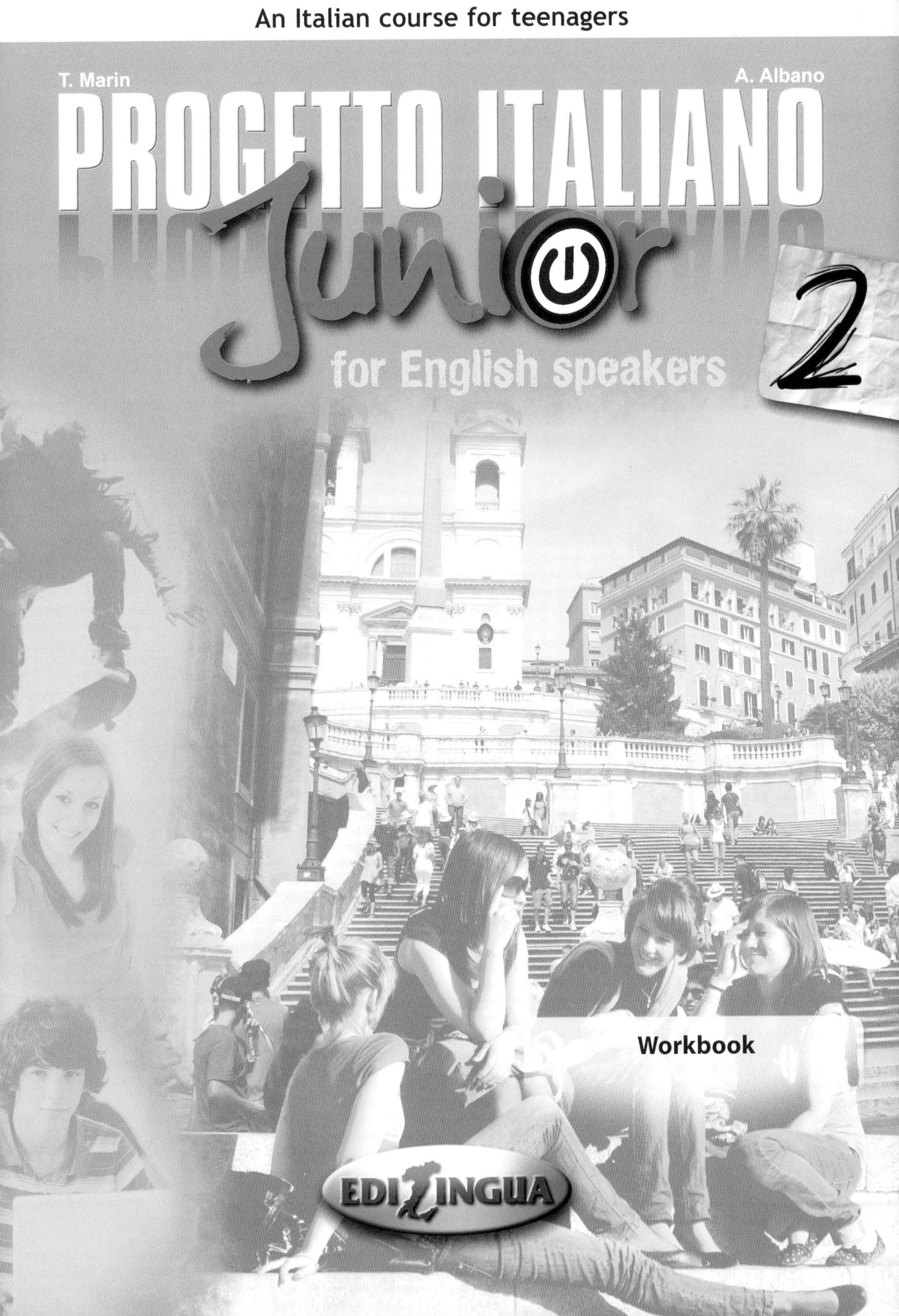
An Italian course for teenagers
T. Marin
A. Albano
PROGETTO ITALIANO
Junior
for English speakers
2
Workbook
EDILINGUA

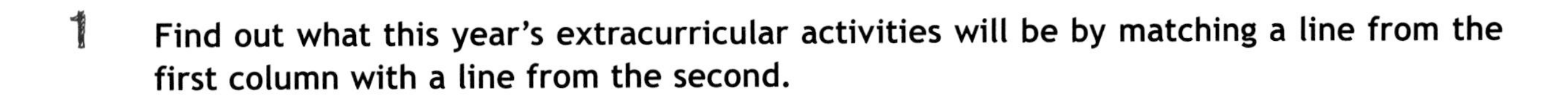

1 **Find out what this year's extracurricular activities will be by matching a line from the first column with a line from the second.**

1. fare lezioni di …
2. proteggere …
3. fare il gemellaggio …
4. cantare in …
5. organizzare …
6. conoscere meglio …

a. con un'altra scuola
b. una mostra d'arte
c. le nuove tecnologie
d. l'ambiente
e. un concorso
f. guida

Now, from the list of activities above, choose the one you think is most interesting and create a schedule for the activity using the table below for guidance.

Il mio progetto: ....

Dove?	Quando?	Con chi?	Come?	Perché?

2

2 **Listen to the dialogue and fill in the missing words (one word per gap).**

Prof: Ragazzi, oggi, come prima lezione, parleremo dei progetti extracurricolari che organizzeremo quest'anno, ...?

Giulia: Perfetto, iniziamo l'anno con qualcosa di interessante!

Prof: Ok... dunque, quest'anno la nostra scuola .... ai seguenti progetti: il gemellaggio con una scuola straniera...

Alessia: Speriamo una di Parigi, ci vorrei tanto andare...

Prof: ...un progetto di educazione ambientale...

Chiara: Bello! Potremo pulire un bosco! .... quello vicino a casa mia.

Prof: ...un concorso musicale tra le scuole della città...

Paolo: Un concorso?! E come ....?

Prof: Ah, vedo che c'è già interesse! Ogni scuola sceglierà un gruppo musicale. Alla gara finale, a maggio, ogni gruppo .... una canzone!

Dino: Forte questo progetto! Mi piace!

Prof: Ma tu Dino, canti... sai suonare qualche strumento?

Dino: Io? Ma io sarò il manager del gruppo! .... potete stare tranquilli: vinceremo noi!

Complete the diagrams as in the example using as many Italian words as you know connected to the extracurricular activities shown (environmental education and twinning with a school abroad). You can even look for new words in a dictionary!

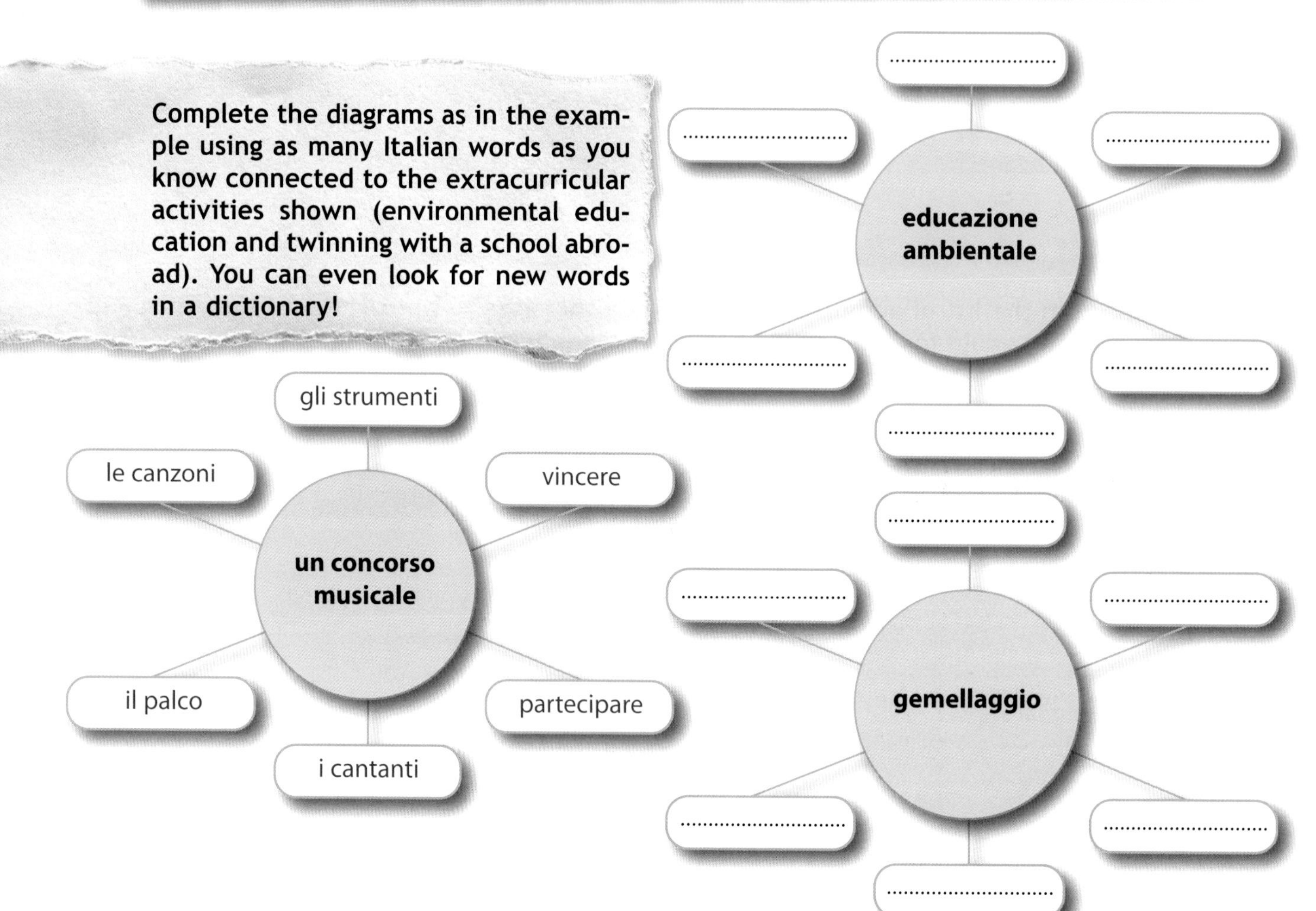

3 **Complete the table using the verbs in the future tense provided.**

organizzerò *impareremo* *proteggerò* *canterai* *pulirà* *manderanno*
vinceremo *parlerà* *inizierete* *sceglierete* *suoneranno* *conoscerai*

io		
tu		
lui/lei/Lei		
noi		
voi		
loro		

4 **Paolo has just entered his week's commitments onto his phone. Complete the sentences using the future tense.**

lunedì	martedì	mercoledì	giovedì	venerdì	sabato	domenica
Dino e Giulia .... (*studiare*) a casa mia.	Alessia .... (*organizzare*) un power point per il progetto.	(Io) .... (*leggere*) l'unità 2 del libro di storia per l'esame.	Io e Giulia .... (*iniziare*) un corso di musica.	Il mio gruppo .... (*presentare*) il progetto in classe.	Io e i miei amici .... (*guardare*) un concorso musicale in tv.	(Io) .... (*dormire*) fino alle 11!

5 ***Giochiamo a filetto!*** **X or O? With a partner complete the sentences using the future tense, as in the example given in red.**

A che ora (tu) .... con Alessia? ***uscire***	Dario e Salvatore .... la camera. ***pulire***	Io .... un SMS ai miei amici prima della festa. ***mandare***
Domani la professoressa .... il progetto per la classe. ***scegliere***	Voi .... al concorso della scuola? ***partecipare***	Dino, ... una canzone rock o hip hop al concerto? ***cantare***
Tu e Giulia parlerete del gemellaggio con la scuola straniera? ***parlare***	Chi .... i cantanti? ***intervistare***	Noi .... quest'anno! ***vincere***

6 **Giulia and Alessia are chatting on Messenger. Complete the sentences with the correct form of *avere*, *fare* or *essere* in the future tense.**

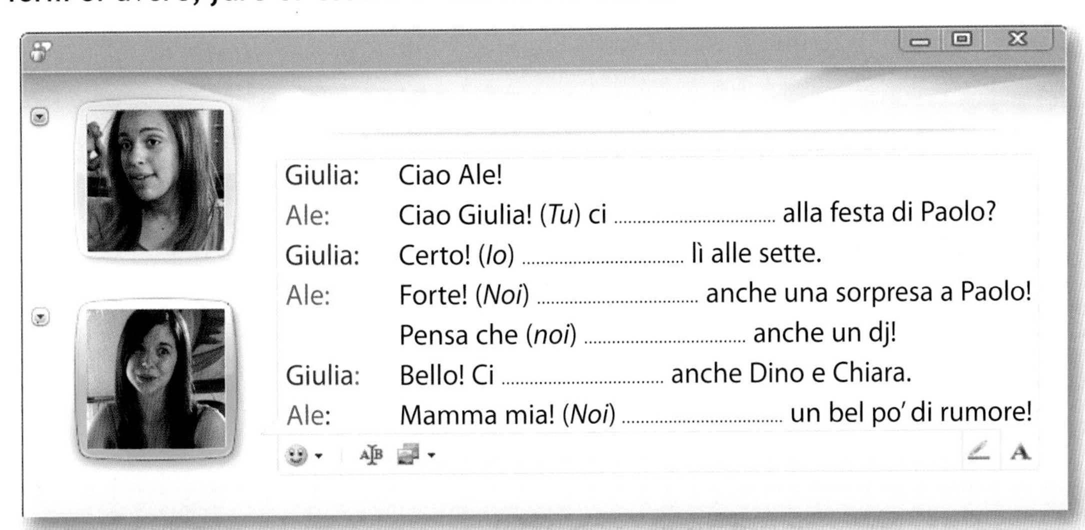

Giulia: Ciao Ale!
Ale: Ciao Giulia! (*Tu*) ci .... alla festa di Paolo?
Giulia: Certo! (*Io*) .... lì alle sette.
Ale: Forte! (*Noi*) .... anche una sorpresa a Paolo! Pensa che (*noi*) .... anche un dj!
Giulia: Bello! Ci .... anche Dino e Chiara.
Ale: Mamma mia! (*Noi*) .... un bel po' di rumore!

7 **Match the two columns.**

1. Fare progetti
2. Fare previsioni
3. Fare ipotesi
4. Fare promesse
5. Periodo ipotetico

a) Mamma, sabato pulirò la mia stanza!
b) Se vinceremo il concorso musicale, festeggeremo alla grande!
c) Domani presenteremo il nostro progetto in classe.
d) Chi sarà quel ragazzo? Sarà Stefano, il nuovo studente.
e) Secondo me, la festa non sarà molto bella.

8 **Complete the sentences using the verbs provided and, in each case, decide what function the future tense serves.**

a. previsione | b. dubbio | c. promessa | d. periodo ipotetico | e. ipotesi | f. progetto futuro

☐ 1. Se non camminiamo più velocemente, ... l'autobus. (*perdere*)
☐ 2. Coraggio ragazzi! Sono gli ultimi giorni e tra una settimana .... tutti in vacanza. (*essere*)
☐ 3. Sì, è abbastanza grosso il mio cane: .... circa 15 chili. (*pesare*)
☐ 4. Nonna, nel fine settimana .... a trovarti! (*venire*)
☐ 5. Cosa dici? Matteo .... la verità? (*dire*)
☐ 6. Il mese di agosto non .... (*piovere*)

9 **Match the sentences as in the example given in blue.**

1. Dove sarà Paolo?
2. Perché Dino ha fatto una brutta figura con la prof?
3. Perché i ragazzi sono così contenti?
4. Hai visto Alessia e Chiara?
5. Quando avrai un nuovo cellulare? ——— e)
6. Quando sarete delle stelle?

a) Non appena il concorso sarà finito.
b) Mah, sarà andato a giocare a calcio.
c) Perché si sarà addormentato in classe.
d) Avranno presentato il progetto migliore.
e) Dopo che mi sarò iscritta al liceo.
f) Saranno andate a telefonare a Giulia.

10 **Read what Dino writes in his email and choose which of the verbs provided (the verbs are given in either the future tense or the future perfect tense) is correct.**

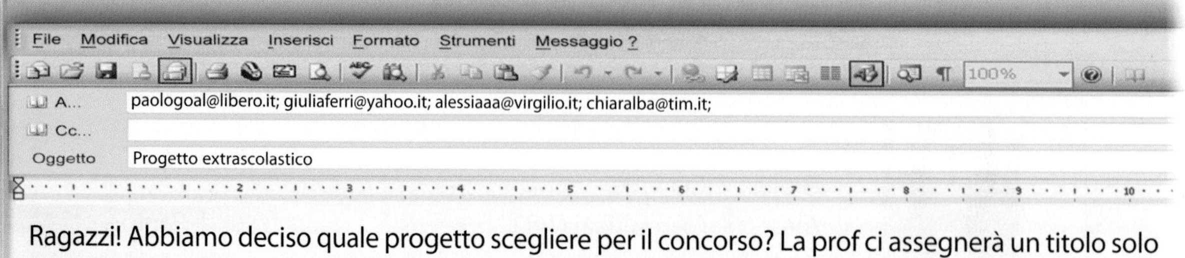
File Modifica Visualizza Inserisci Formato Strumenti Messaggio ?

A... paologoal@libero.it; giuliaferri@yahoo.it; alessiaaa@virgilio.it; chiaralba@tim.it;
Cc...
Oggetto Progetto extrascolastico

Ragazzi! Abbiamo deciso quale progetto scegliere per il concorso? La prof ci assegnerà un titolo solo dopo che noi (1) avremo scelto/sceglieranno l'argomento. Appena Paolo (2) avrai telefonato/avrà telefonato a suo cugino per avere un'idea, invierò un'altra email per comunicare con tutti. Sono sicuro che (3) faremo/avremo fatto una bella figura con il nostro gruppo. Solo se lunedì (4) avrò preso/avranno preso un buon voto in matematica, mio padre ci darà un po' di soldi per il progetto. Quindi questo fine settimana (5) dovrò/avrò dovuto studiare tanto! Quando il concorso (6) sarete finiti/sarà finito, saremo delle stelle!

11 **Describe your star sign.**

.... è il mio segno!
Sono (4 aggettivi) ....
....
Mi piace ....
Non mi piace ....

Read your description to the class and see if your classmates can guess what your star sign is!

Draw here your star sign.

12 **Complete the word search to find the other seven expressions (from page 17) used to ask for confirmation, or to give a confirmation. Then, make a sentence using each of four of the expressions, as per the example.**

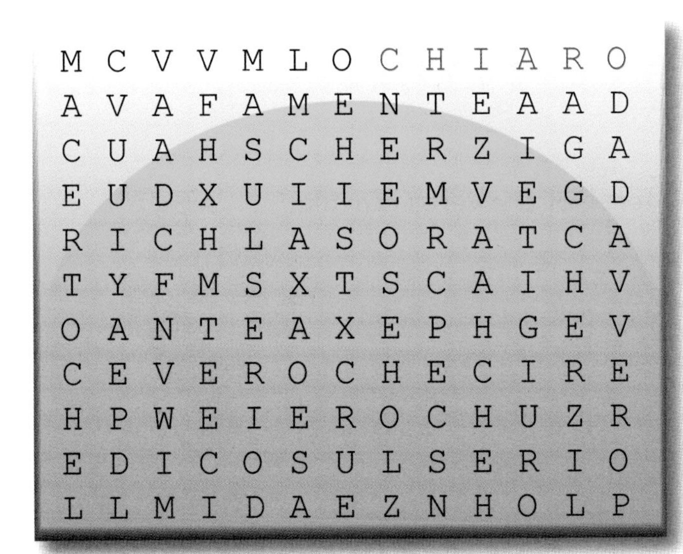

Esempio: - Ma veramente parteciperete a un concorso musicale? - Sì, dico sul serio!

1 ....
....
2 ....
....
3 ....
....
4 ....
....

13 **It's New Year's Eve: Dino and his friends are chatting on Facebook about their New Year resolutions. Create sentences using the future tense, as in the example.**

5

14 a. Listen to the recording once and tick the extracurricular activities mentioned.

- recupero dell'ambiente
- rappresentazione teatrale
- olimpiadi studentesche
- gemellaggio con una scuola straniera
- concorso musicale
- cucina e gastronomia

b. Listen again and tick the three statements you hear.

1. Lo scorso anno abbiamo fatto un'attività teatrale.
2. L'insegnante d'italiano ha partecipato al progetto.
3. Mi piace conoscere culture diverse.
4. La mia scuola ha organizzato uno scambio culturale.
5. Suono in un gruppo musicale scolastico.
6. Il concorso musicale è un progetto interessante.

Test finale

A Complete the text using the future tense of the verbs provided.

Il mese prossimo, io e i miei compagni di classe (1. *partecipare*) .... ad un concorso di scienza della mia scuola. Io (2. *inventare*) .... un nuovo robot che sa parlare l'italiano! Il mio robot si (3. *chiamare*) .... "Messi", come il giocatore di calcio. Lui (4. *avere*) .... molte funzioni: (5. *fare*) .... domande, (6. *cantare*) .... e (7. *dire*) .... barzellette. (8. *Essere*) .... un progetto divertente!

B Choose the correct verbs to complete the following sentences.

1. – Che ore sono?
– (1).................................... le due. Tra cinque minuti voi (2).................................... a casa.

1) a. Sarà
b. Saranno
c. Sarete

2) a. andremo
b. andrai
c. andrete

2. Se domani noi (1).................................... il progetto, (2).................................... una festa in classe!

1) a. finiranno
b. finirete
c. finiremo

2) a. faremo
b. farà
c. farai

3. Sì, mamma. Oggi pomeriggio io (1)................................. solo dopo che (2)................................. di studiare.

1) a. uscirò
b. uscirai
c. uscirà

2) a. avrai finito
b. avrete finito
c. avrò finito

4. Paolo (1)................................. un premio quando (2)................................. il suo progetto.

1) a. avrò
b. avrà
c. avremo

2) a. avremo completato
b. avrai completato
c. avrà completato

5. Giulia e Alessia (1)................................. in una band non appena (2)................................. gli strumenti.

1) a. suoneranno
b. suonerà
c. suonerete

2) a. sarete arrivati
b. saranno arrivati
c. sarà arrivata

6. Tu (1)................................. al mare dopo che (2)................................. la scuola?

1) a. andrai
b. andremo
c. andranno

2) a. sarete finiti
b. saremo finite
c. sarà finita

C Put each sentence into the correct column of the table, as in the example.

1. Sei coraggioso e onesto. Non hai paura dei rischi.
2. Vogliamo formare questo gruppo musicale o no?
3. Questo è il tuo anno fortunato!
4. Parteciperemo ad un gemellaggio con una scuola straniera.
5. Pensi che potrai suonare il violino?
6. Potremo pulire un bosco!

Concorso musicale	Progetto extrascolastico	Oroscopo
		1

Right answers: ___/25

1 **Match the definitions below (a-d) to the corresponding activity. The one left over is what Paolo is going to do this afternoon.**

- ☐ a. vedere un programma a puntate in televisione
- ☐ b. partecipare a un evento musicale con una canzone
- ☐ c. praticare uno sport di squadra
- ☐ d. fare musica con uno strumento a corde

Cosa farà Paolo questo pomeriggio? ....

2 **Complete the sentences using the imperfect tense, as in the example.**

1. Alessia e Giulia sedevano sulla panchina. (*sedere*)
2. Paolo .... con un pallone. (*giocare*)
3. Io .... un telefilm. (*guardare*)
4. Io e Alessia .... sempre tardi. (*tornare*)
5. Tu e Nadia .... insieme? (*cantare*)
6. Tu .... sempre le parole! (*dimenticare*)

3 **Use the words provided below to produce at least six sentences. Try to use as many words as possible and use the following points system to award your sentences a score: 2 words = 4 points, 3 words = 6 points, 4 words = 8 points, 5 or more words = 10 points. When you have finished, find out which student in the class has the highest score!**

innamorato	della canzone	i capelli biondi	su una panchina
era	preferivano	aveva	suonare
la chitarra	la ragazza	Paolo	Alessia e Giulia
tornavo	dimenticava	sempre	Mario
le parole	io	tardi	
sedevano	della scuola	le ragazze	

1. ....
2. ....
3. ....
4. ....
5. ....
6. ....

4 **Alessia uses a secret code to write a message on Facebook. Use the key to decipher the message and conjugate the verbs using the imperfect tense.**

2@: io **3#: noi** **5*: loro** **1^: lui** **4?: lei**

facebook | RICERCA

Alessia
Il mio profilo

- Ultime notizie
- Messaggi
- Eventi
- Fotografie
- Amici
- Applicazioni
- Giochi
- Gruppi

Altro...

Ciao ragazzi!
Ho fatto un sogno molto divertente ieri notte. 3# .... (*essere*) tutti in un reality su Canale 5. 2@ .... (*partecipare*) ad un concorso e .... (*cantare*) una canzone di Laura Pausini. Nadia e Paolo .... (*suonare*) in una band. 1^ .... (*suonare*) la chitarra, mentre 4? .... (*suonare*) la batteria. 5* .... (*essere*) proprio bravi!

5 **Find all the verbs in the imperfect tense and then complete the table below, as in the example given in red.**

Quando ero piccola, festeggiavo sempre il compleanno con i miei fratelli e i miei cugini. Giocavamo, bevevamo Coca Cola e mangiavamo la torta che faceva sempre la mia mamma. Mia sorella era un po' gelosa dei miei regali, allora io davo a lei sempre la mia nuova bambola per giocare. Il mio papà e la mia mamma dicevano sempre che ero proprio una brava bambina!

io	noi	mia sorella	la mia mamma	il mio papà e la mia mamma
ero	....	....	....	....
....	....	....	....	....
....	....	....	....	....
....	....	....	....	....

E tu? Com'eri da piccolo/a? Cosa facevi?

Ero ....

Facevo ....

6 **Complete the word search to find expressions used for agreeing or for disagreeing. Then, make up some sentences as in the example; mark the sentences that express agreement with a smiley face ☺ and those that express disagreement with a sad face ☹.**

```
D S I S O N O D A C C O R D O
S I L O P E N S O A N C H I O
T E O B J O O S M H C W G S H
I P R S H I N I G U A E N I P
E R E I I H C E T W J O S H N
N O N E V E R O O N E B E A O
A P E V Q N E R Z O E R O I W
N R N E H A D O N E E C X R O
S I C R E D O A N C H I O A N
F O N O A F E M S O Q P A G V
L V F E O R S N B C D T N I E
P E C N O P E N S O D I N O H
H R N I S O U U N O P E N N Z
N O N O N P E N S O C C O E O
```

1. Paolo gioca molto bene a pallone! Sì, hai ragione. ☺
2. .... Non credo.
3. .... Non è vero!
4. .... No, non penso.

5. Vinceremo il concorso quest'anno? No, penso di no. ☹
6. .... Sì, credo anch'io.
7. .... Sì, è proprio vero!
8. .... Sì, è vero.
9. .... Sì, lo penso anch'io.
10. .... Sì, sono d'accordo!

7 **The imperfect or perfect tense? Complete the sentences using the verbs provided (Note: they are not in order).**

essere/suonare | andare | essere/andare | perdere | studiare/andare | suonare/cantare

1. Ieri Paolo .... nuovamente l'autobus.
2. Mentre Dino .... al computer .... il suo cellulare.
3. Da bambina, Chiara .... spesso a casa dei nonni.
4. Da giovane, mio padre .... e .... in un gruppo musicale.
5. Ieri, Alessia e Giulia .... fino alle 5 e poi .... al cinema.
6. La nostra scuola non .... lontana da casa, per questo noi .... sempre a piedi o in bicicletta.

8 **Complete the sentences using the verbs provided (in the imperfect or perfect tense). The verb that is left points to the monument and city that Paolo visited today!**

La Fontana di Trevi
- sono andato
- andavo

L'Arena di Verona
- guardavate
- avete aspettato

Il Duomo di Milano
- dormiva
- abbiamo studiato

1. Ieri io .... a casa di Giulia.
2. Lunedì pomeriggio, noi .... storia e geografia.
3. Quando Alessia ha telefonato a Dino, lui ....
4. D'estate, io .... sempre al mare con la mia famiglia.
5. Voi .... il concorso musicale quando è arrivata Gianna?

Oggi ho visitato ....!

9 **Choose the correct verb.**

Sabato sera, mentre ascoltavo/ho ascoltato musica a casa di Gabi, è arrivata/arrivava Giulia. Mi ha detto/diceva di accendere subito il televisore perché c'era/è stato un nuovo concorso musicale. Così guardavamo/abbiamo guardato questo programma per due ore. Bellissimo! Ci sono stati/C'erano cantanti e band internazionali. Una band australiana arrivava/è arrivata prima.

10 **Parts of the following conversation are missing. Listen to the dialogue and fill them in. In your opinion, which sections of the text relate to the two photos?**

....

Produttore: Buongiorno. Come si chiama?
Francesca: Buongiorno. Mi chiamo Francesca.
Produttore: Va bene, Francesca. Lei .... già ....(1) un provino con noi?
Francesca: No. L'anno scorso ....(2) ogni tanto a guardare i provini, ma non .... mai ....(3).
Produttore: Lei ....(4) corsi di canto, recitazione, o ballo?
Francesca: No, ma quando ero piccola ....(5) parte di un piccolo gruppo teatrale. Io e le mie compagne ....(6) prova di recitazione tutti i giorni dopo la scuola!
Produttore: Benissimo. Allora, cominciamo!

11 **Indicate which action in each sentence happened first, as in the example. Use a different colour to highlight each of the two actions: blue for the pluperfect tense (first action) and red for the perfect tense (second action).**

1. Noi avevamo già fatto i compiti quando è arrivato Dino.
2. La prof d'italiano ha dato alla classe un progetto che noi avevamo già fatto.
3. Alessia aveva appena mandato un sms, quando l'abbiamo incontrata al cinema.
4. Il mio gruppo rock preferito aveva appena suonato quando la giuria ha deciso di eliminarli.
5. È cominciato a piovere dopo che Paolo aveva segnato un bellissimo gol.
6. Quando siamo andati a casa di Stefania, il telefilm era già iniziato.

12 ***Giochiamo a filetto!*** **X or O? With a partner complete the sentences using the pluperfect tense, as in the example in red.**

Io non .... al campionato. ***pensare***	Carlo .... di partecipare al concorso. ***decidere***	Noi .... un cono al cioccolato. ***chiedere***
Alessia .... a casa di Giulia. ***andare***	Il gruppo rock .... il concorso. ***vincere***	Voi .... molto bene. ***cantare***
Paolo e Dino avevano già giocato a calcio ed erano stanchi. ***giocare***	I ragazzi .... in finale con una canzone rap. ***andare***	Dino non .... sorpreso dell'idea. ***sembrare***

13 **Complete Dino's account by writing the verbs in the correct tense.**

Ieri, io, Giulia e Paolo .... (1. *andare*) finalmente a sentire Ligabue in concerto. .... (2. *aspettare*) questo momento da due mesi, da quando Paolo .... (3. *comprare*) i biglietti. Lo stadio .... (4. *essere*) pieno e la gente, i ragazzi .... (5. *venire*) da tutta la Toscana. Il concerto .... (6. *durare*) più di due ore e vedere dal vivo Ligabue .... (7. *essere*) un'esperienza veramente emozionante. Per fortuna che quando .... (8. *cominciare*) a piovere, il concerto .... già .... (9. *finire*).

14 **Complete the table with television programmes from your country. Try to translate the programme names into Italian.**

Canali			
Film			
Telefilm			
Reality			
Varietà			
Programmi musicali			

Test finale

A Complete the sentences using the imperfect tense.

1. Mentre Dino .... (*mandare*) messaggini, Paolo .... (*dormire*) in classe.
2. Alessia e Giulia .... (*guardare*) un telefilm sempre a casa mia!
3. Ogni sera noi .... (*ascoltare*) musica con gli amici.
4. Ogni anno, tu e Nadia .... (*perdere*) la gita.
5. Quando Paolo .... (*giocare*) a calcio, gli amici .... (*chiacchierare*) seduti su una panchina.

B Conjugate the verbs provided using the correct tense (perfect, imperfect or pluperfect).

Ieri i ragazzi .... (1. *andare*) al concerto di Ligabue. .... (2. *arrivare*) allo stadio con tre ore di anticipo. .... (3. *comprare*) i biglietti quindici giorni prima, ma .... (4. *fare*) ugualmente due ore di fila perché .... (5. *esserci*) moltissima gente. .... (6. *Fare*) abbastanza caldo anche se il giorno prima .... (7. *piovere*). Quando Ligabue .... (8. *cominciare*) a cantare, Paolo, che .... (9. *andare*) a comprare delle bibite, non .... ancora .... (10. *tornare*). Il concerto .... (11. *essere*) molto bello, Ligabue .... (12. *cantare*) molte delle sue vecchie canzoni e a circa metà concerto .... (13. *uscire*) sul palcoscenico anche Elisa e insieme .... (14. *cantare*) un paio di canzoni.

C Conjugate the verbs in brackets using the imperfect tense and then complete the crossword.

Across

1. Da bambina Carla .... (*preferire*) giocare da sola.
6. Paolo .... (*pensare*) di poter partecipare al concorso.
7. Com'.......................... (*essere*) il telefilm?
9. Sofia e Andrea .... (*essere*) proprio una bella coppia.
10. Mio padre ha avuto un piccolo incidente con la macchina mentre .... (*tornare*) dal lavoro.

Down

2. Ieri .... (*fare*) molto freddo.
3. Chiara non.......................... mai bugie. (*dire*)
4. Di solito, ... (*uscire*) solo il fine settimana.
5. Claudio .... (*cantare*) sempre canzoni italiane.
8. Da bambino io .... (*avere*) una bellissima bicicletta.

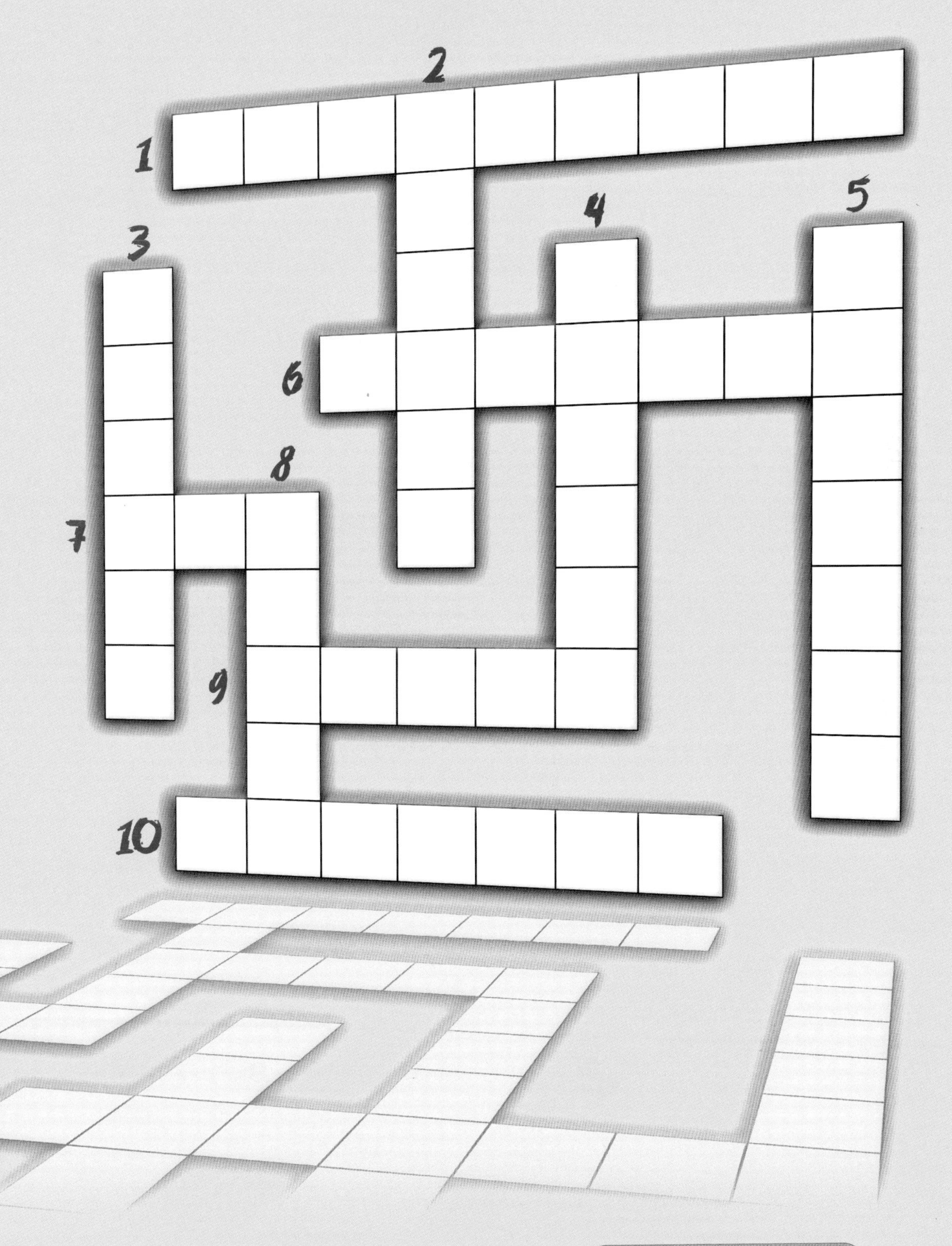

Right answers: __/31

1 **Listen again to the dialogue on page 36 and write a brief summary of it (30-40 words). Use the words provided to help you.**

prove	casa di campagna	tastiera	Sesto Fiorentino	padre

2 **Do you know these musical instruments? Match them to one of the photos, as in the example.**

☐ il violino ☐ la tastiera ☐ la batteria ☐ la tromba ☐ la chitarra elettrica B il sassofono

E tu? Suoni uno strumento? Se sì, quale? ....

Quali altri strumenti conosci? Sai come si chiamano in italiano? ....

3 **Find the direct object pronouns hidden in the following words and write them next to the word, as in the example.**

Paolo ...lo...

cinema ....
articolo ....
amico ....
canali ....

salame ....
chiavi ....
scuole ....
Laura ....

4 **Match the sentences and then highlight the direct object pronouns, as in the example in blue.**

1. I programmi musicali sono divertenti!
2. Giulia è molto simpatica!
3. Dobbiamo ancora scegliere la cantante!
4. Dove ci vediamo?
5. Come facciamo con la ricetta regionale?
6. Dove prepareremo il progetto di biologia?
7. Non so a che ora venire!

a) Ci incontreremo a casa di Dino a Fiesole!
b) Va bene, la sceglieremo domani alle prove.
c) Niente paura, ci aiuterà mia madre.
d) Sì, li guardo sempre in televisione!
e) Lo prepareremo a scuola, naturalmente!
f) È vero, mi saluta sempre a scuola!
g) Tranquillo, ti chiamerò domani!

5 **Complete the answers to the first three questions using one of the expressions provided. Then, write the final three questions.**

Lo so | Lo sapevo | Lo saprò

1. – Quando andremo al concerto? – .... domani.
2. – È morto il gatto di Alessia! – .... Poverina...
3. – Lo sapevi che Dino è un bravo cantante? – Sì, ... L'ho sentito alle prove.
4. – .... – Sì, lo so.
5. – .... – No, non lo sapevo.
6. – .... – No, lo saprò stasera.

6 **Alessia and Giulia are chatting. Complete the dialogue, as in the example in red, using the expressions provided below plus a sentence of your own creation.**

Che bella idea! Peccato! Che brutta notizia! Che fortuna! Che bella sorpresa!

Alessia: Ciao G! Sai che hanno cancellato le prove per il concerto?
Giulia: Ciao Ale! Davvero? .... ☹
Alessia: Sì, anche a me dispiace. Ah, un'altra cosa. Oggi ho preso un bel voto in matematica!
Giulia: Oh, ... ☺
Alessia: Beh, non proprio fortuna... ho studiato molto per l'interrogazione! Dino invece è andato male...
Giulia: Poverino! .... ☹
Alessia: Già. Però la prof ....
Giulia: Caspita! Che bella sorpresa! ☺
Alessia: Vuoi venire a casa mia domani dopo la scuola? Lavoriamo al progetto di ecologia!
Giulia: .... Sì! ☺
Alessia: A domani, allora. Buonanotte!
Giulia: Notte, Ale!

7 **Complete the word search to find vocabulary to do with the environment. The words are connected to activity 5 on page 40.**

R	R	I	C	I	C	L	A	G	G	I	O	E	N	E	F	I	Y	E
I	L	O	S	M	A	L	T	I	M	E	N	T	O	D	E	E	A	I
S	R	I	F	I	U	T	M	I	E	U	N	G	R	A	N	N	U	D
P	R	O	T	E	G	G	E	R	E	L	E	F	O	R	E	S	T	E
A	E	P	R	O	B	L	Z	E	M	A	E	T	U	T	R	T	O	I
R	D	O	B	B	I	A	Z	M	O	F	A	R	E	L	G	A	E	N
M	O	E	N	E	R	G	I	A	E	O	L	I	C	A	I	S	L	T
I	R	A	P	A	R	T	P	E	N	E	L	L	A	R	A	A	E	C
O	L	A	M	P	A	D	I	N	E	L	E	D	E	N	S	Z	T	I
D	A	T	A	R	I	C	B	O	R	D	I	A	M	O	O	I	T	L
I	C	O	N	T	E	N	B	I	T	O	R	E	G	I	L	A	R	L
A	L	U	S	O	D	E	L	L	A	B	I	C	I	O	A	P	I	E
C	R	L	A	C	A	R	I	T	A	A	Z	Z	U	R	R	R	C	O
Q	P	E	R	L	A	P	C	L	A	S	T	I	C	A	E	E	A	I
U	S	O	D	E	I	M	E	Z	Z	I	P	U	B	B	L	I	C	I
A	P	E	R	V	E	T	R	O	E	A	L	L	U	M	I	N	I	O

8 **Complete the sentences, as in the example in red, using the correct direct object pronoun and the correct ending on the past participle to make it agree.**

1. Se cerchi Paolo, l'ho visto che parlava con Giulia all'ingresso della scuola.
2. Le patatine sono finite. .... ha mangiat..... tutte Chiara.
3. Gli spaghetti alla carbonara non .... ho cucinat..... perché non piacciono a tuo fratello.
4. Paolo, ... hai sentit..... l'ultimo CD di Jovanotti?
5. Alessia, la maglietta che abbiamo visto l'altroieri in vetrina, ... hai comprat.....?
6. Ieri sera ho incontrato al cinema Stefania, ... ho chiamat..... ma non mi ha risposto.
7. Bello questo videogame, vero? .... ho trovat..... in offerta al solito negozio.

9 **Answer the questions using the perfect tense and the appropriate direct object pronouns.**

1. • Dove hai comprato questa bella maglietta? • .... alla Benetton.
2. • Chi ha invitato Francesca e Luigi? • .... io.
3. • Perché non sono ancora qui? A che ora hanno preso l'autobus?
   • .... alle 6.
4. • Chi ha mangiato tutte le fragole? • .... Dino.
5. • Chi ha portato il cane a passeggio? • .... Chiara.
6. • Hai visto il film ieri sera? Bello, vero? • Sì, sì! .... Veramente bello.

10 **Heart, circle, square. Choose the words from one square, one heart and one circle and combine them to produce an answer to each question.**

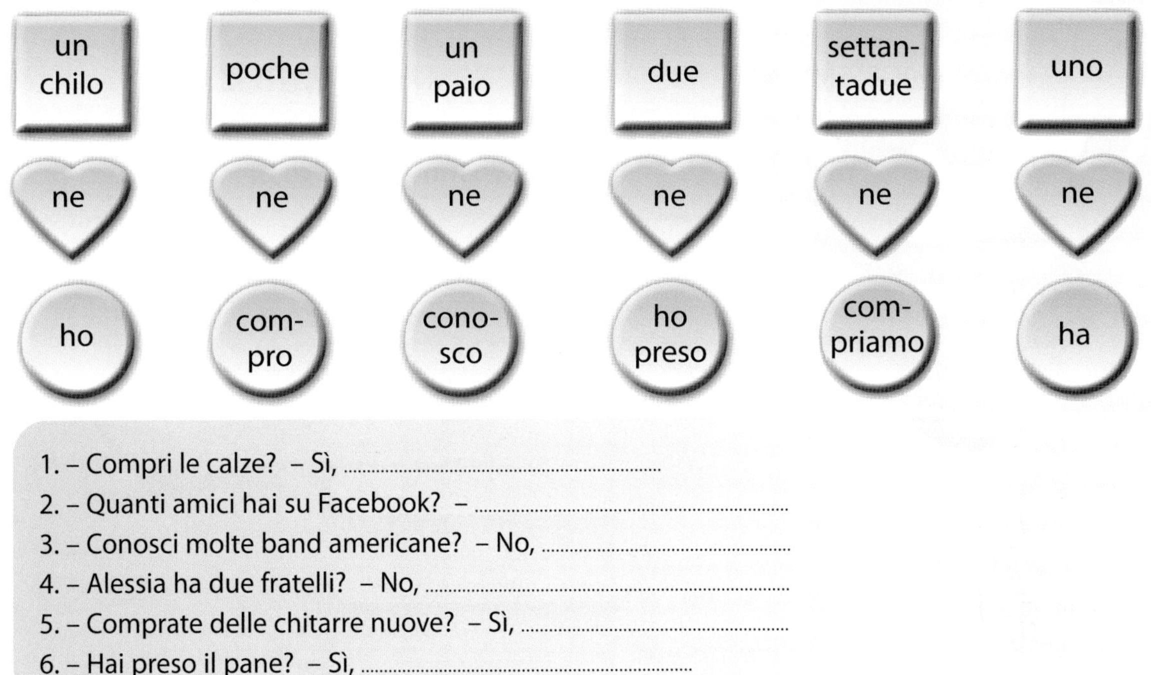

1. – Compri le calze? – Sì, ...
2. – Quanti amici hai su Facebook? – ....
3. – Conosci molte band americane? – No, ...
4. – Alessia ha due fratelli? – No, ...
5. – Comprate delle chitarre nuove? – Sì, ...
6. – Hai preso il pane? – Sì, ...

11 **Decide which combination of phrases will produce logical mini dialogues and discover where the famous Castellana Caves are located!**

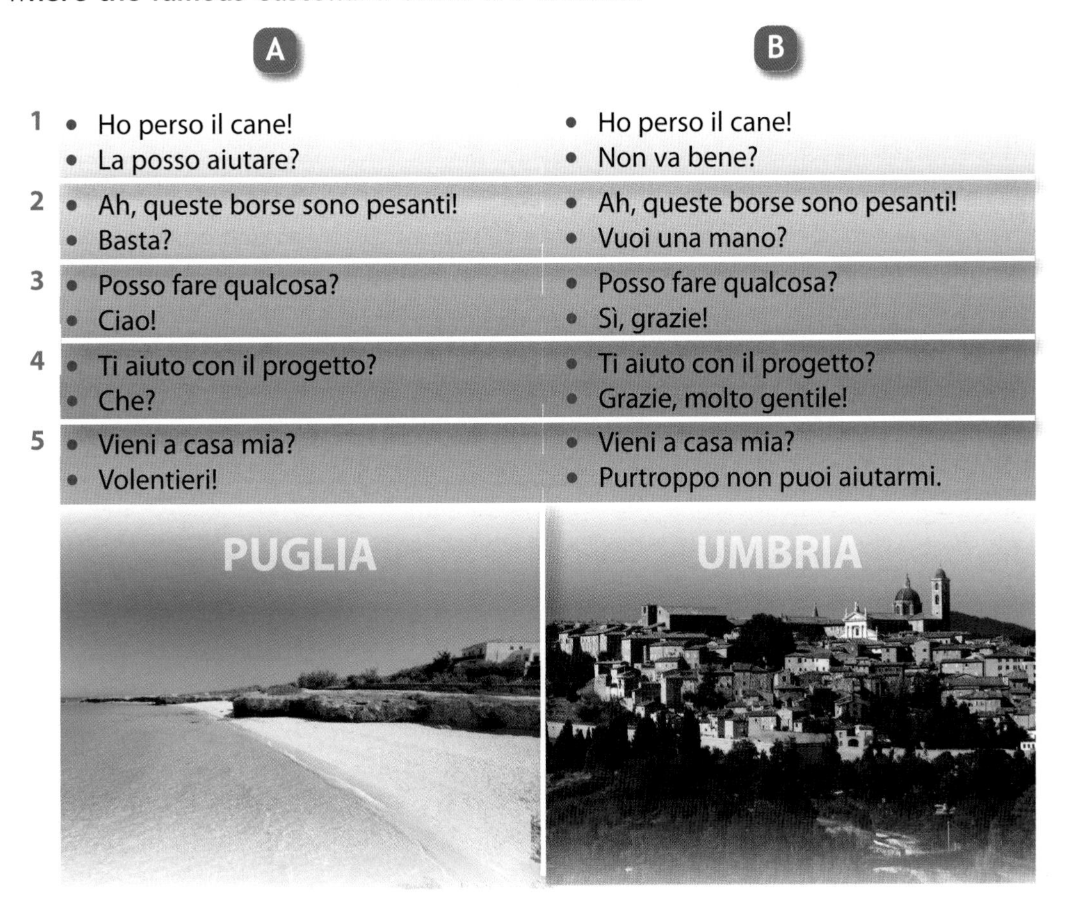

12 **What words do you remember? Complete the following table using words relating to the environment and ecology, as in the example.**

PROBLEMI ☹		SOLUZIONI / INTERVENTI ☺	
Sostantivi	Verbi	Sostantivi	Verbi
i rifiuti		il cassonetto	riciclare

Qual è la vostra piramide delle priorità ambientali?
Insert the most urgent issues here.

....

....

....

13 **Complete this song by Adriano Celentano using the words provided. Ask your teacher to tell you about the song. If you want, you can also listen to it: it's a song from the sixties.**

qui soldi verde giocare città cemento

Questa è la storia di uno di noi,
anche lui nato per caso in via
Gluck, in una casa, fuori città,
gente tranquilla, che lavorava.
Là dove c'era l'erba ora c'è
una città, e quella casa in
mezzo al ....(1)
ormai, dove sarà?
Questo ragazzo della via
Gluck, si divertiva a
giocare con me,
ma un giorno ha
detto, vado in
....
......................(2)
e lo diceva
mentre
piangeva,
io gli
domando amico,
non sei contento?
Vai finalmente a stare in città.
Là troverai le cose che non hai
avuto ....(3)
potrai lavarti in casa senza
andar giù nel cortile!
Mio caro amico, ha detto,
qui sono nato,
in questa strada
ora lascio il mio cuore.
Ma come fai a non capire,
è una fortuna, per voi che
restate a piedi nudi a
....(4) nei prati,
mentre là in centro respiro il
cemento.
Ma verrà un giorno che
ritornerò ancora qui
e sentirò l'amico treno
che fischia così, "wa wa"!
Passano gli anni,
ma otto son lunghi,
però quel ragazzo ne ha fatta
di strada,
ma non si scorda la sua prima
casa,
ora coi ....(5)
lui può comperarla
torna e non trova gli amici che
aveva,
solo case su case, catrame e
....(6).
Là dove c'era l'erba ora c'è
una città,
e quella casa in mezzo al verde
ormai dove sarà.

Il ragazzo della via Gluck (adattata)

What do you think Via Gluck looks like?
Draw a picture of it using the information in the song to guide you.

Test finale

A Choose the correct direct object pronoun.

Oggi vedo i miei amici. (1) Li/Lo incontro sempre il venerdì. Di solito andiamo in centro a mangiare una pizza. (2) Lo/La mangiamo alla pizzeria "da Gigino", perché è buonissima! Oggi poi è un'occasione speciale, è il compleanno di Mirella! (3) Lo/Le festeggiamo in pizzeria e poi a casa sua per la torta. La mamma di Mirella voleva fare la torta, (4) lo/la fa sempre, ma questa volta l'ha comprata in pasticceria. A Mirella darò un regalo che ho comprato quando ero in Francia. (5) Li/Lo darò quando andremo a casa sua.

B Choose the correct answer.

1. Hai visto Roberto?

a) Sì, l'ho visto al cinema. b) Sì, li ho visti al cinema.

2. Hai preso la chitarra?

a) Sì, le ho prese stamattina. b) Sì, l'ho presa stamattina.

3. Avete fatto le prove?

a) Sì, le abbiamo fatte ieri sera. b) Sì, lo abbiamo fatto ieri sera.

4. Vi hanno ascoltato?

a) Sì, ci hanno ascoltato per 10 minuti! b) Sì, mi hanno ascoltato per 10 minuti!

5. Ti ha chiamato Alessia?

a) No, non vi ha chiamato! b) No, non mi ha chiamato!

6. Giulia, hai finito i compiti?

a) No, non li ho finiti. b) No, non l'ha finito.

C **Put the following conversation between the teenagers and the organiser of the music competition in the right order.**

1 *Responsabile*: Allora, cominciamo? Che cosa presentate?
◯ *Responsabile*: Molto interessante. Di cosa parla?
◯ *Dino*: Così l'abbiamo cercata su internet ma... la canteremo in versione rock!
◯ *Alessia*: Sì, non volevamo la solita canzone d'amore.
◯ *Dino*: Abbiamo preparato una canzone di Bertoli che canta anche Ligabue: "Eppure soffia".
◯ *Responsabile*: Che bella idea! Sentiamola!
◯ *Chiara*: Parla dell'ambiente, di ecologia.

Right answers: __/17

Facciamo spese

WORKBOOK

1 Put the following words from the dialogue on page 50 under the correct grammatical heading in the table, as in the example in red.

fare spese | nuovo centro commerciale | scarpe | nero | incontrarsi | magliette bianche | comprare | colore blu | paio | andare | abbigliamento | stesso | vestirsi | stanco | cercare

Sostantivo	Aggettivo	Verbo
spese		fare

2 Find the option in each line that does not work with the verb in the first column.

1. **fare spese:**	al centro commerciale	al negozio di abbigliamento	al concerto
2. **avere:**	amici	nero	tempo
3. **andare:**	all'idea	all'appuntamento	al negozio
4. **vestirsi:**	con il gruppo	con i pantaloni	con la gonna
5. **comprare:**	le scarpe	stanca	la maglietta
6. **cercare:**	magari	un colore	qualcosa

3 Choose the correct from of the reflexive verbs, as in the example in blue. You will discover the name of a famous Italian architect.

mi diverto	mi diverta	mi divertiamo	mi divertite
si incontrate	si incontrano	si incontri	si incontro
vi vestate	vi vestute	vi vestite	vi vestote
si sentite	si sentiamo	si sento	si sente
ci annoio	ci annoia	ci annoiamo	ci annoiate
mi alzate	mi alzo	mi alzi	mi alza
ti metti	ti mettete	ti metta	ti mettate
Renzo Piano	Vasco Rossi	Federico Moccia	Monica Bellucci

Un famoso architetto italiano è ....

With help from your teacher, discover who the other famous Italian personalities are.

a) uno scrittore

b) un cantante

c) un'attrice

4 **Complete the rhyme using the correct forms of the verb *vestirsi*, as in the example.**

(io) Oggi .... con jeans blu.
Troppo sportivo? Che ne dici tu?
(tu) Ti vesti sempre con tanto colore.
Ah, che bello, che splendore!
Lui .... sempre in gran fretta, mentre tutto il gruppo aspetta!
(noi) .... tutti di bianco?
Ma no, è da gelataio, son stanco!
(voi) .... con la giacca?
Basterebbe una maglietta!
(loro) Perché .... sempre di nero?
Son d'accordo, è troppo serio!

5 **Read the conversation between Paolo and Dino and underline the reflexive verbs, as in the example.**

Dino: Paolo, a che ora ti svegli durante la settimana?

Paolo: Di solito, mi sveglio alle sette. Non voglio arrivare a scuola in ritardo.

Dino: Bravo! Io invece mi sveglio sempre alle sette e mezza e... sono sempre in ritardo alla prima ora!

Paolo: Accidenti Dino! Io però mi alzo alle sette e dieci. Sai, preferisco restare un po' a letto... a sognare la mia squadra preferita! Poi mi lavo, mi vesto e mi pettino. Faccio colazione ed esco di casa alle otto meno dieci.

Dino: Sei un ragazzo responsabile! Io non esco mai di casa prima delle otto e un quarto...

Paolo: Ma cosa fai? Ti guardi allo specchio per mezz'ora? Ma se alle otto e un quarto le lezioni cominciano... Dino, sei sempre il solito!

Now, rewrite what Paolo does every morning in the third person singular.

Durante la settimana, Paolo si sveglia alle sette.

....

....

6 **Match each question to the appropriate answer, as in the example in red.**

1) Marco e Dino sono amici?	a) Perché Alessia e Giovanni si guardano e ridono durante la lezione.
2) Dove e quando è l'appuntamento venerdì sera?	b) Vanno al centro commerciale, si divertono a guardare le vetrine.
3) Che cosa fai sabato?	c) Sì, si vedono ogni giorno dopo la scuola per giocare a pallone o con i videogiochi.
4) Perché la prof è arrabbiata?	d) Ci incontriamo in pizzeria alle otto.
5) Dove vanno Chiara e Stefania?	e) Vado a un matrimonio. Mia sorella e il suo fidanzato si sposano.

7 **Put the letters in the correct order to find the expressions used to give or to ask for an opinion.**

1. icnehedic? c h e n e d i c i?
2. lovorlotomot __ __ __ __ __ __ __ __ __ __ __ __
3. iapensshceo __ __ __ __ __ __ __ __ __ __ __
4. odemconesè __ __ __ __ __ __ __ __ __ __
5. siphecenen? __ __ __ __ __ __ __ __ __ __ __?
6. hecrdosicea __ __ __ __ __ __ __ __ __ __ __

8 **What type of clothing will Giulia choose for the following occasions? Tick a box as in the example.**

festa di compleanno 									
gita scolastica 									
palestra 									
sciare 					✔				

9 **What does each colour make you think of? Simone Cristicchi talks about red and white roses in his song *Ti regalerò una rosa*. What emotions or memories spring to your mind when you think of a particular colour? Complete the sentences below as in the example and use them to try and write a little song or poem of your own. Do you know any songs in your language in which comparisons with colours are made?**

Ti regalerò una rosa
Una rosa rossa per dipingere ogni cosa
Una rosa per ogni tua lacrima ...
E una rosa per poterti amare

Ti regalerò una rosa
Una rosa bianca ...
Una rosa bianca ... per dimenticare
Ogni piccolo dolore

Rosso come... una rosa

Blu come ....
Verde come ....
Rosa come ....
Giallo come ....

Grigio come ....
Azzurro come ....
Nero come ....
Bianco come ....

LA MIA POESIA/LA MIA CANZONE

21

10 **a. Listen to the conversation and fill in the gaps (one word per space).**

Paolo: Dino, ... da Footlocker. Hanno delle scarpe da calcio stupende!
Dino: Sì, ... idea! Voglio cercare anche una .... per il basket.
Commessa: Buongiorno ragazzi. .... aiutarvi?
Paolo: Sì, ho visto in vetrina delle .... da calcio.
Commessa: Sì, certo. Abbiamo scarpe di tutte le marche... Cerchi una marca in ....?
Paolo: Puma, le mie preferite. Avete il .... 39?
Commessa: Un attimo che le cerco. Eccole. Prego... .... bene?
Paolo: Sì, sono perfette. Quanto ....?
Commessa: Oggi c'è uno sconto del 20% su tutto l'abbigliamento per il calcio. Quindi 35 euro e 20.
Paolo: Che ....un affare!

b. Now, complete the following conversation between Dino and the sales assistant. Do you remember the expressions to use? Dino is looking for a T- shirt! If you need some help, have another look at the dialogue on page 55!

Dino: Scusi, ...?
Commessa: Sì, ...
Che ....?

Dino: La ....
Commessa: Ecco, ...
Dino: Mi piace! Ok, ...

11 ***Giochiamo a filetto!* X or O? With a partner complete the sentences by putting the reflexive verb in the perfect tense, as in the example in red.**

Giulia non si è provata i jeans che ha comprato. ***provarsi***	Dino .... tardi stamattina. ***svegliarsi***	Io e Alessia .... eleganti per la festa. ***vestirsi***
Dino e Stefania .... a casa di Paolo dopo la scuola. ***fermarsi***	Io .... bene per l'esame. ***prepararsi***	Gianni e Stefano .... appuntamento in piazza. ***darsi***
Loro .... male dopo il concerto di ieri sera. ***sentirsi***	Tu .... presto per andare a fare le spese. ***alzarsi***	Paolo .... per dieci minuti allo specchio prima di uscire. ***guardarsi***

12 **What did Alessia and Giulia do last night? Put the sentences in the right order. Then, highlight the reflexive verbs in the perfect tense, as in the example in red.**

[1] Ieri mattina io e Giulia siamo uscite.
[ ] Prima di uscire, io mi sono messa una giacca perché pioveva;
[ ] Ci siamo provate le nuove scarpe da ginnastica della Nike. Favolose!
[ ] Ci siamo incontrate in centro e mia madre ci ha accompagnate al centro commerciale "I gigli".
[ ] Insomma, ci siamo divertite veramente tanto a fare shopping!
[ ] Io mi sono svegliata presto perché ero contenta di andare a fare spese.
[ ] Giulia, invece, si è vestita con la tuta da ginnastica per stare comoda.

13 **Choose the correct expression from the options provided to complete the short dialogues.**

Sì, è bellissimo!	Che taglia è?	C'è anche in rosso?
Che numero porta?	Quant'è?	C'è uno sconto?

1. • ....?
   • Costa ventidue euro, signorina.
2. • ....?
   • No, mi dispiace. Abbiamo prezzi fissi.
3. • ....?
   • No, c'è solo in bianco.
4. • ....?
   • Il 36.
5. • È molto alla moda!
   • ....
6. • È un po' stretto!
   • ....

14 **The following sentences contain both a reflexive and a modal verb. Produce an alternative version of each sentence as in the example.**

	Opzione 1	Opzione 2
1.	Mi voglio provare quel paio di scarpe.	Voglio provarmi quel paio di scarpe.
2.	Ti devi svegliare presto?	....
3.	....	Vuole fermarsi a casa.
4.	Ci possiamo incontrare al cinema?	....
5.	....	Volete mettervi una giacca?
6.	Si vogliono divertire durante le vacanze.	....

Now choose the two sentences that go with the following photos.

A

B

....

Test finale

A **Find the verb in each line below that is a reciprocal reflexive verb.**

1. vestirsi, sposarsi, riposarsi, lavarsi
2. svegliarsi, addormentarsi, annoiarsi, baciarsi
3. incontrarsi, prepararsi, divertirsi, laurearsi
4. pettinarsi, alzarsi, abbracciarsi, chiamarsi

B Complete the table using the examples to guide you.

Che cos'è? Abbina gli oggetti alle immagini	Come rispondi?	Coniuga i verbi al presente	Coniuga i verbi al passato	Rimetti in ordine le frasi
La maglietta a)	Che numero porti?	(io) vestirsi	(loro) amarsi	scuola Ci a ? incontriamo ....
I pantaloni	Che taglia vuoi?	(tu) prepararsi	(voi) provarsi	telefono al sentite Vi spesso ....
Fare spese	Che ne pensi?	(lui) alzarzi si alza	(io) fermarsi	di rock Un veste gruppo nero si ....
Le scarpe	Mi sta bene?	(noi) incontrarsi	(voi) sentirsi	e alle trenta svegli Ti nove ....
La gonna	Posso aiutarti?	(voi) trovarsi	(loro) conoscersi	appuntamento Si cinema al danno Si danno appuntamento al cinema

C Complete the crossword with the colours of the objects pictured.

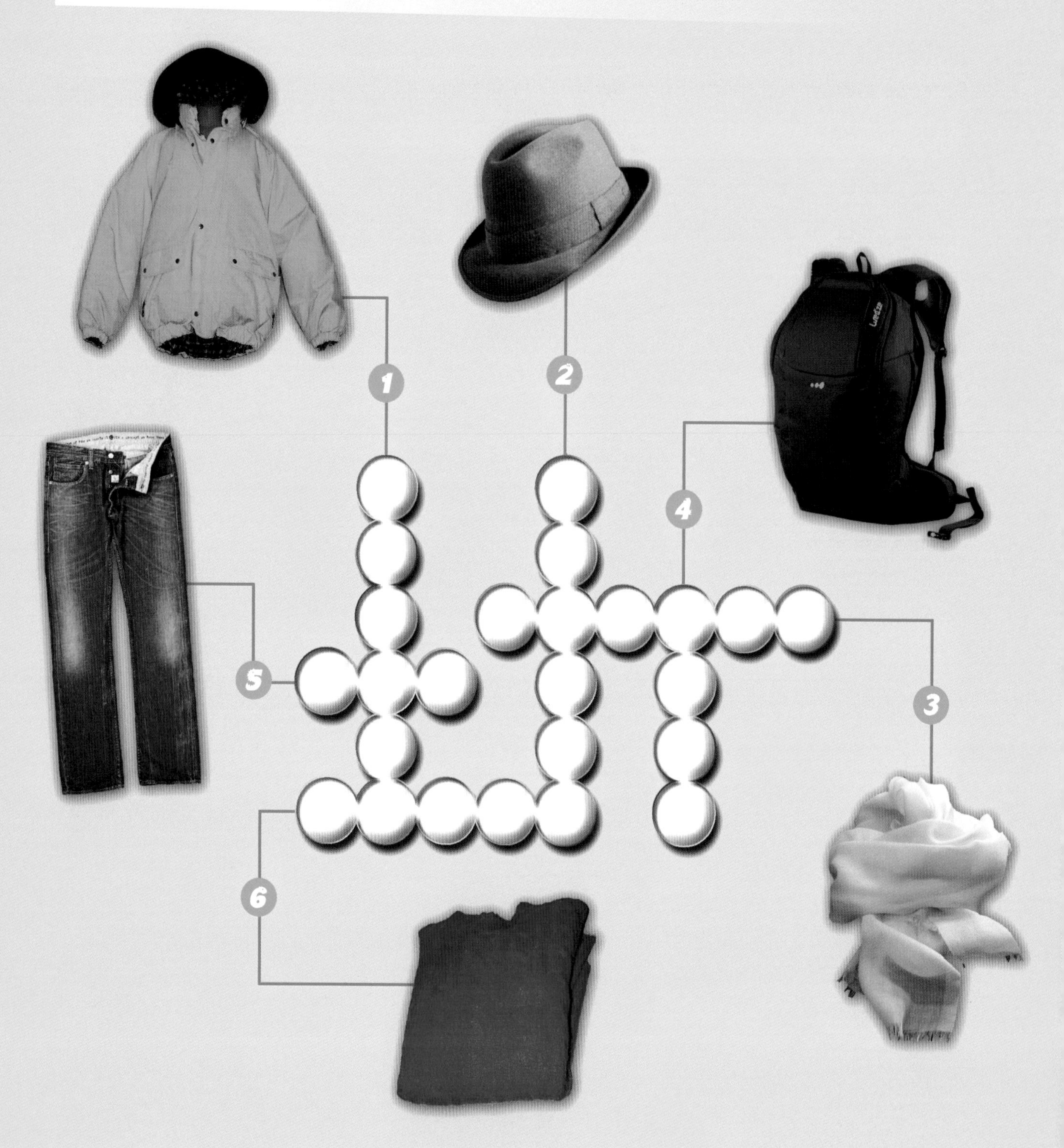

Right answers: __/32

1 **Describe each of the sports listed below as in the example.**

	all'aperto	al coperto	di squadra	individuale	in acqua	con il pallone
la pallacanestro						
il calcio	✓		✓			✓
il ciclismo						
il nuoto						
la pallavolo						
il tennis						

Now, add another three sports that you know to the table.

1.						
2.						
3.						

2 **Reread the dialogue on page 64 and then match the expressions given below.**

1. Ti posso dare...	a. Sai?
2. Ti va di venire...	b. in questo periodo?
3. È quello che fanno tutti i grandi cantanti...	c. vero?
4. È una canzone di Ligabue,...	d. a guardare la partita?
5. Vieni con noi,...	e. un consiglio?
6. Perché non fai un po' di sport...	f. no?

AT&T 3G 9:42 AM

Ciao ....

....

....

....

....

....

Phone Mail Safari iPod

Now, write a text message to one of your friends:

a) Invitalo/la a casa tua a vedere la partita.
b) Invitalo/la a correre con te nel parco.

3 **Replace the parts highlighted in blue with an indirect object pronoun and match each sentence to the correct picture.**

a 

b 

c 

1) Do un regalo ai miei.	.... do un regalo.	
2) Preparo un caffè a mio zio.	.... preparo un caffè.	
3) Scriviamo un'e-mail alla nonna.	.... scriviamo un'e-mail.	
4) Roberto chiede una penna a me.	.... chiede una penna.	
5) La prof spiega la lezione a noi.	La prof .... spiega la lezione.	
6) Alessia offre un gelato a te.	Alessia .... offre un gelato.	

d 

e 

f 

4 **Read Alessia's diary and underline the indirect object pronouns, as in the example.**

Home | Profilo personale | Amici | Foto e messaggi | Cerca

Alessia

Profilo | Amici | Foto | Album dei ritagli | Diario | Gruppi

Oggi voglio parlare con Giulia. Le telefonerò dopo la scuola. Dobbiamo organizzarci con l'allenatore per la partita di pallavolo di domani. Gli parleremo dei giocatori avversari e lui ci darà qualche consiglio. Giulia mi porterà le scarpe nuove che abbiamo comprato al centro commerciale. Non vedo l'ora! Vi mostreremo quanto è grande la nostra squadra!

Now put the indirect object pronouns into the table and write who they refer to.

Pronome indiretto	Si riferisce a
le	*Giulia*

5 **Heart, hexagon, rectangle. Choose the words from one heart, one hexagon and one rectangle and combine them to produce an answer to each question.**

ti	offre	aiuto	compro	gli	chiede
sembra	gli	parlo	oggi	porto	un profumo
le	ci	io	un gelato	bella	vi

1. – Quando parli con Paolo? – ....
2. – Che cosa compri per tua madre? – ....
3. – Chi mi accompagna in centro? – ....
4. – Cosa vi offre Luca al bar? – ....
5. – Cosa ci chiede Dino in classe? – ....
6. – Come sembra la nostra canzone ai giudici? – ....

6 **Complete the sentences using some of the object pronouns (direct and indirect) displayed on the T-shirts of the players.**

1. Francesca parla a me?	=	Francesca .... parla.
2. Compriamo una racchetta a Giulia?	=	.... compriamo una racchetta?
3. Gli spettatori guardano voi.	=	Gli spettatori .... guardano.
4. L'allenatore chiama te in campo.	=	L'allenatore .... chiama in campo.
5. Dino non vede Carla da un mese.	=	Dino non .... vede da un mese.
6. Paolo, hai le scarpe da calcio?	=	Paolo, ... hai?
7. Stefania telefona a Marco.	=	Stefania .... telefona.
8. Dino racconta a Paolo la partita di ieri.	=	Dino .... racconta la partita di ieri.

7 **Match the two halves of the sentences, as in the example in blue.**

1. Mi presti...
2. Ci dispiace...
3. Ti dà fastidio...
4. Mi puoi dare una mano,...
5. Mi dispiace...
6. Ti pare giusto...

a) per favore? Ho bisogno dei tuoi libri d'inglese.
b) la racchetta?
c) ma non ho nessuna voglia di fare shopping oggi. Resto a casa.
d) perdere in questa maniera?
e) ma non possiamo venire al cinema. Siamo molto stanche.
f) se ascolto la musica in macchina?

8 **Match each term to its correct definition.**

1. Il pallone
2. Il canestro
3. Il campo
4. L'allenatore
5. La rete
6. Il giocatore
7. L'arbitro
8. Le scarpe sportive

a. è rotondo e serve per giocare
b. fa parte della squadra
c. le Adidas sono un esempio
d. dove si tira il pallone nel calcio
e. la persona che allena i giocatori
f. è il giudice che prende le decisioni durante il gioco
g. dove si lancia il pallone a pallacanestro
h. dove gioca la squadra

9 **Reread the dialogue on page 69. A student journalist who is covering the music competition interviews Paolo about what has happened to Dino. Complete the interview questions.**

Paolo: Eh sì, Dino, il nostro cantante, si è fatto male.
Giornalista: Male? ....?
Paolo: Mentre correvamo gli ha fatto male il ginocchio.
Giornalista: Oh no! ....?
Paolo: Il medico gli ha detto di rimanere a letto per qualche giorno.
Giornalista: Qualche giorno? ....?
Paolo: Non lo so. Anche Dino è preoccupato per il concorso.
Giornalista: Poverino. E adesso ....?
Paolo: No, adesso è a casa.
Giornalista: Capisco. ....?
Paolo: Sì, sarà con noi al concorso. Il dottore ci ha detto che starà bene tra una settimana.

10 **Choose the correct meaning in each case, as in the example in blue.**

1. Dino li ha portati ieri.
   a. Dino ha portato gli strumenti.
   b. Dino ha portate le pizze.

2. La prof l'ha corretto stamattina.
   a. La prof ha corretto la presentazione.
   b. La prof ha corretto il progetto.

3. L'abbiamo già vista.
   a. Abbiamo già visto Giulia.
   b. Abbiamo già visto Dino.

4. Le avete detto del concerto?
   a. Avete detto a lei del concerto?
   b. Avete detto a loro del concerto?

5. Vi hanno ascoltato alle prove?
   a. Hanno ascoltato te e Paolo?
   b. Hanno ascoltato Paolo e Dino?

6. Gli ha dato una medicina.
   a. Ha dato una medicina ad Alessia.
   b. Ha dato una medicina ad Alessia e Giulia.

7. Ci hanno fatto un favore.
   a. Hanno fatto un favore a te e a Stefania.
   b. Hanno fatto un favore a me e a Stefania.

11 **Match the objects or people to the correct short dialogue. Be careful, though: are you able to work out what the hidden word is?**

La parola "nascosta" è: il _ _ _ _ _ _ _ _

12 **Look at page 73 and then put the following activities under the appropriate heading in the table.**

guardare la TV per più di 2 ore al giorno — partecipare a gare sportive — camminare — andare a scuola in bici — giocare molto ai videogiochi — non fare sport

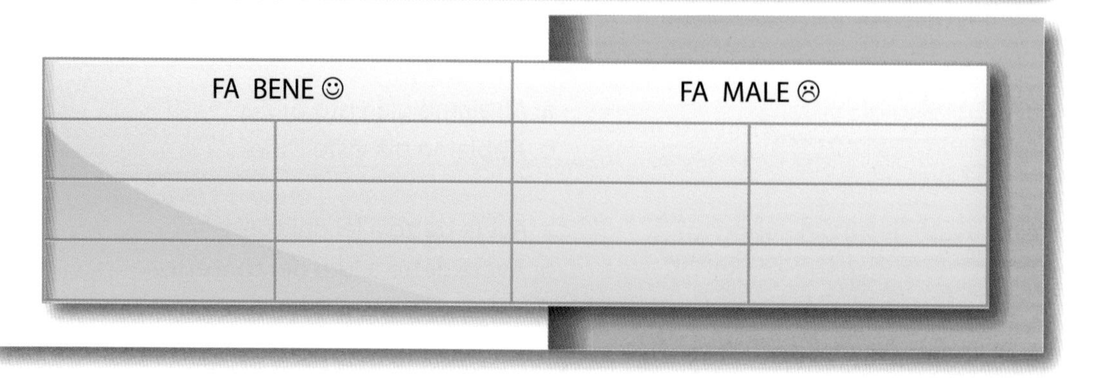

FA BENE ☺		FA MALE ☹	

Now, either on your own or with a partner, write three things you need to do to stay in shape.

Test finale

A **Complete the sentences using the correct indirect object pronoun.**

1. Giovanna vede la signora Pandolfi e .... dice "Buongiorno!".
   a. gli   b. mi   c. le

2. Giovanna vede un suo amico e .... chiede "Come va?".
   a. gli   b. le   c. vi

3. Giovanna vede due professori e .... augura una buona giornata.
   a. gli   b. li   c. le

4. Giovanna vede te e Dino e .... augura "Buona giornata!".
   a. ci   b. mi   c. vi

5. Giovanna vede me e Paolo e .... chiede "Come state?".
   a. vi   b. ci   c. le

6. Giovanna vede me e .... chiede "Dove vai?".
   a. ci   b. mi   c. Vi

B Replace the parts highlighted in blue with either a direct or an indirect object pronoun.

	a)	b)	c)
1. Io regalo un profumo di Armani a Giulia.	a) le	b) lo	c) gli
2. Io aggiusto la bici a Elisabetta.	a) gli	b) la	c) le
3. Io offro una cena al ristorante ai miei genitori.	a) vi	b) gli	c) la
4. Io presto un libro di cucina a mia sorella.	a) lo	b) le	c) La
5. Io compro dei giocattoli al mio fratellino.	a) gli	b) la	c) li
6. Io ho suonato la chitarra per vari anni.	a) la	b) lo	c) ti
7. Io presto 100 euro a te e a Giampiero.	a) ci	b) vi	c) gli
8. Io canto una canzone rock per te.	a) mi	b) ti	c) la

C Complete the word search to find eight words connected with team sports.

R	I	S	P	A	R	M	C	O	D	V
L	P	A	R	T	I	T	A	S	S	B
R	A	F	I	U	C	A	M	P	O	M
R	L	T	E	G	G	E	P	E	S	P
E	L	R	O	B	L	Z	I	M	Q	O
C	A	L	C	E	T	T	O	O	U	E
F	V	N	E	R	G	I	N	E	A	D
M	O	P	A	R	T	P	A	S	D	F
E	L	G	I	O	C	A	T	O	R	E
O	O	S	T	A	D	I	O	T	A	V

Right answers: ___/22

1 ***Hit parade!*** **Put your favourite singers or bands into the table to create your own music chart. When you have finished, see if your classmates agree.**

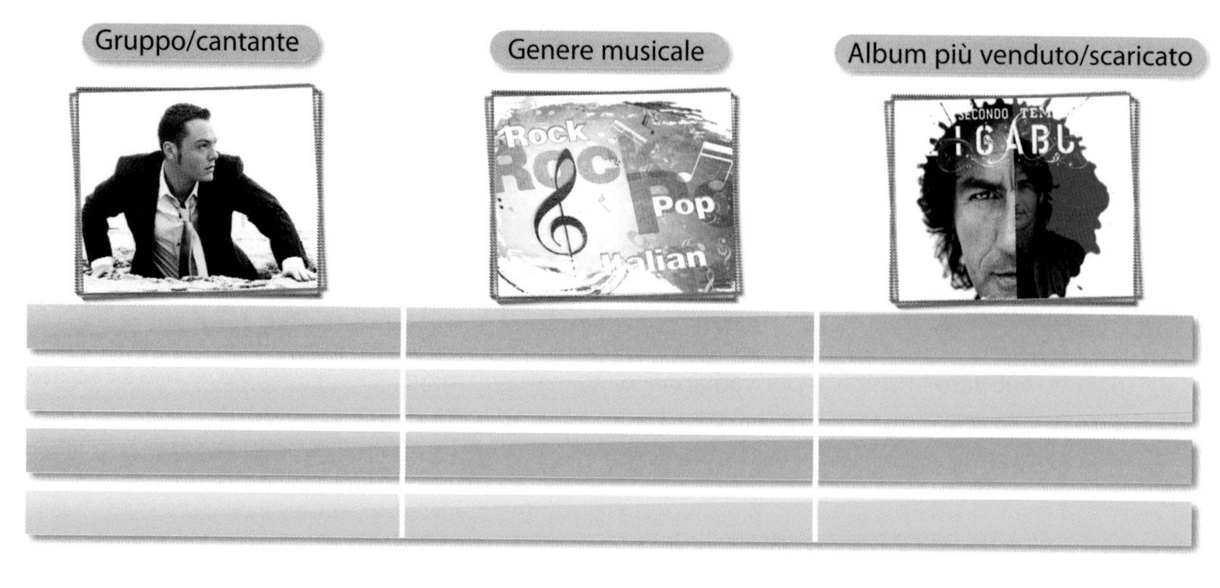

27

2 **Listen again to the dialogue on page 78 and write a brief summary of it (30-40 words), using the words below as a guide.**

ginocchio	sostituire	partita	lontano	taxi

3 **Fill in what Giulia says to the others before the concert, as in the example.**

TU:
1. provare il microfono ....
2. restare calmo ....
3. seguire il ritmo ....

NOI:
1. mettere le magliette ....
2. salire sul palco ....
3. cominciare tutti insieme ....

VOI:
1. prendere posto — prendete posto!
2. salutare il pubblico ....
3. respirare profondamente ....

4 Match the sentences and highlight in red the verbs in the direct (informal) imperative, as in the example.

1. No! Come faremo con il concorso?
2. Come vengo alle prove? Non ho un passaggio!
3. Questa prova la facciamo o no?
4. Come vado in Australia?
5. Che cosa facciamo domenica?
6. Mi fa male il ginocchio!
7. Mi dispiace, devo studiare per l'esame.

a) Semplice... prendi un aereo!
b) Hai ragione. Cominciamo!
c) Andate alla partita di Paolo! Lui sarà contento.
d) Dai, cerchiamo di essere ottimisti!
e) Chiama il dottore! Lui ti darà qualcosa...
f) Dai, studia domani! Sei un secchione...
g) Trova un taxi! Non puoi mancare...

5 In each case choose the direct (informal) imperative with the correct pronoun. Add up your winnings (each correct answer earns the value shown) and write the total below.

	a.	b.	
1. (tu) calmarsi	a. calmati	b. calmasi	€ 150
2. (voi) comprare – le scarpe	a. compratelì	b. compratele	€ 300
3. (noi) prendere – il taxi	a. prendiamolo	b. prendiamoci	€ 450
4. (tu) cercare – la chitarra	a. cercami	b. cercala	€ 600
5. (noi) chiamare – Dino	a. chiamiamolo	b. chiamiamola	€ 750
6. (voi) finire – le prove	a. finitevi	b. finitele	€ 900

Totale della vincita: .... €

Cosa farai con tutti questi soldi?

29

6 Listen to the cautions that Dino receives from his mum. Use the table to show what he is allowed to do (☺ column) and what he isn't allowed to do (☹ column).

	Sì ☺	No ☹
1. camminare molto		
2. andare dal medico		
3. riposare		
4. prendere un taxi		
5. dimenticare le chiavi		
6. tornare presto		

7 **Read the following messages and write down the correct purpose of the direct (informal) imperative for each verb highlighted in blue, as in the example.**

avviso pubblico | dare ordini | dare consigli
pubblicità | proibire | dare istruzioni

Cara Alessia,
prima di uscire con i tuoi amici,
pulisci la tua camera
chiama la nonna al numero che ho lasciato in cucina
e soprattutto non mettere i jeans di tua sorella!
TVB mamma

dare ordini

....

....

....

....

Volete mangiare bene?
Allora andate al ristorante "La sirena"!
Radio DJ

....

8 **Alessia is in a really bad mood today and doesn't want to do any of the things the others suggest! Rewrite the sentences using a negative direct (informal) imperative, as in the example.**

TU
1. Ascolta i tuoi amici! ....
2. Scherza con Paolo! ....
3. Porta la chitarra! ....

NOI
1. Andiamo al concerto! ....
2. Proviamo ancora! Non proviamo più!
3. Crediamo a Giulia! ....

VOI
1. Mettete le magliette! ....
2. Telefonate a Dino! ....
3. Leggete il testo! ....

9 **Do you remember the dialogue on page 83? Put the sentences into the correct order.**

___ Non preoccupatevi, sto bene, sono solo molto ansioso. È andata bene, no?
___ E vai! Bene, ora per festeggiare andiamo a mangiare qualcosa!
_1_ E adesso l'ultimo gruppo in gara: "Eppure soffia", cantano i "Paolo non c'è".
___ No, veramente, secondo me avete... abbiamo vinto!
___ Dino, siediti. Ti fa male?
___ Al secondo posto... i "Paolo non c'è" che vincono un viaggio a Milano!
___ Io penso di sì, speriamo che anche la commissione avrà la stessa idea.
___ Non ci prendere in giro! Qua ci sono più di 30 gruppi!

And now... make up an alternative ending!

Presentatore: ....!
Paolo: Non ci posso credere! Ragazzi, ...
Giulia: Sì, ...

10 **Replace the people and objects with the correct object pronoun and write the negative direct (informal) imperative in both the ways that are possible, as in the example.**

1. (tu) Non + suonare + = *Non suonarla!* oppure *Non la suonare!*
2. (voi) Non + mettere + = ...!
3. (noi) Non + telefonare + a LUI = ...!
4. (noi) Non + prendere + = ...!
5. (voi) Non + portare = ...!
6. (tu) Non + prendere in giro + ME = ...!

11 *Battaglia navale!* **On your own or with a partner, sink all the ships by choosing the correct irregular direct imperative. Be careful, though: there are more missiles than you need!**

MISSILI
1. Va'
2. Diciamo
3. State
4. Fate
5. Facciamo
6. Da'
7. Date
8. Dite
9. Diamo
10. Andiamo

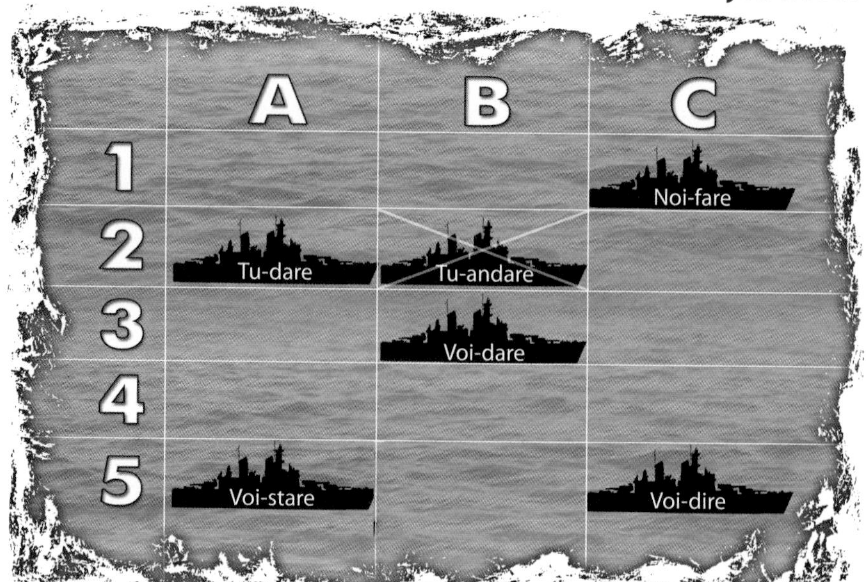

12 **What route do the teenagers take to go home from school? Rewrite the sentences replacing the symbols with the correct expressions.**

 va' dritto

 gira a sinistra

 gira a destra

 prendi l'autobus

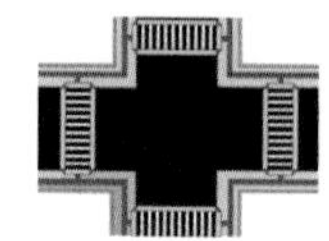 incrocio

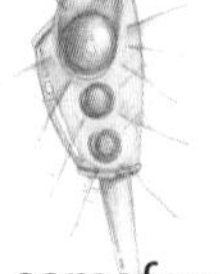 semaforo

Per andare da scuola a casa di...

...Paolo:  per 200 metri,  e al primo  .

Al numero 46, terzo piano, c'è l'appartamento di Paolo.

....

...Chiara:  fino alla prima fermata,  34 e scendi dopo quattro fermate,  e al primo  . Troverai via Garibaldi, al numero 16 è la casa di Chiara.

....

...Dino:  ,  , al terzo 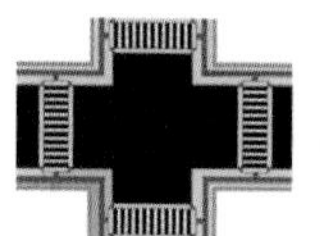  . La casa di Dino è al numero 95.

....

How about you? What route do you take to get to school from your house?

32

13 a. Listen to the interviews and tick the artists mentioned.

Katy Perry

Tiziano Ferro

David Guetta

Fabri Fibra

Cascada

Jovanotti

b. Listen to the interviews and choose the correct answer in each case.

1. I ragazzi ascoltano musica

a. ☐ soprattutto straniera
b. ☐ soprattutto italiana
c. ☐ solo straniera

2. Tra i generi preferiti ci sono

a. ☐ musica rock straniera e rap
b. ☐ musica house e cantautori italiani
c. ☐ musica house e rap

3. Per ascoltare la musica preferiscono

a. ☐ comprare sempre i cd
b. ☐ guardare video su Youtube
c. ☐ scaricare le canzoni da internet

4. I ragazzi vanno ai concerti

a. ☐ sempre
b. ☐ mai
c. ☐ qualche volta

Test finale

A Which word is the odd one out?

1. FESTIVAL TOURNEE CALCIO
2. GINOCCHIO TESTI AUTORE
3. CANTANTE STAZIONE MUSICA
4. SUONARE CANTARE CAMMINARE
5. SCARPE BATTERIA CHITARRA
6. CONCERTO PROVE RIVISTA

B Read Alessia's blog and decide whether the sentences that follow are true (V) or false (F).

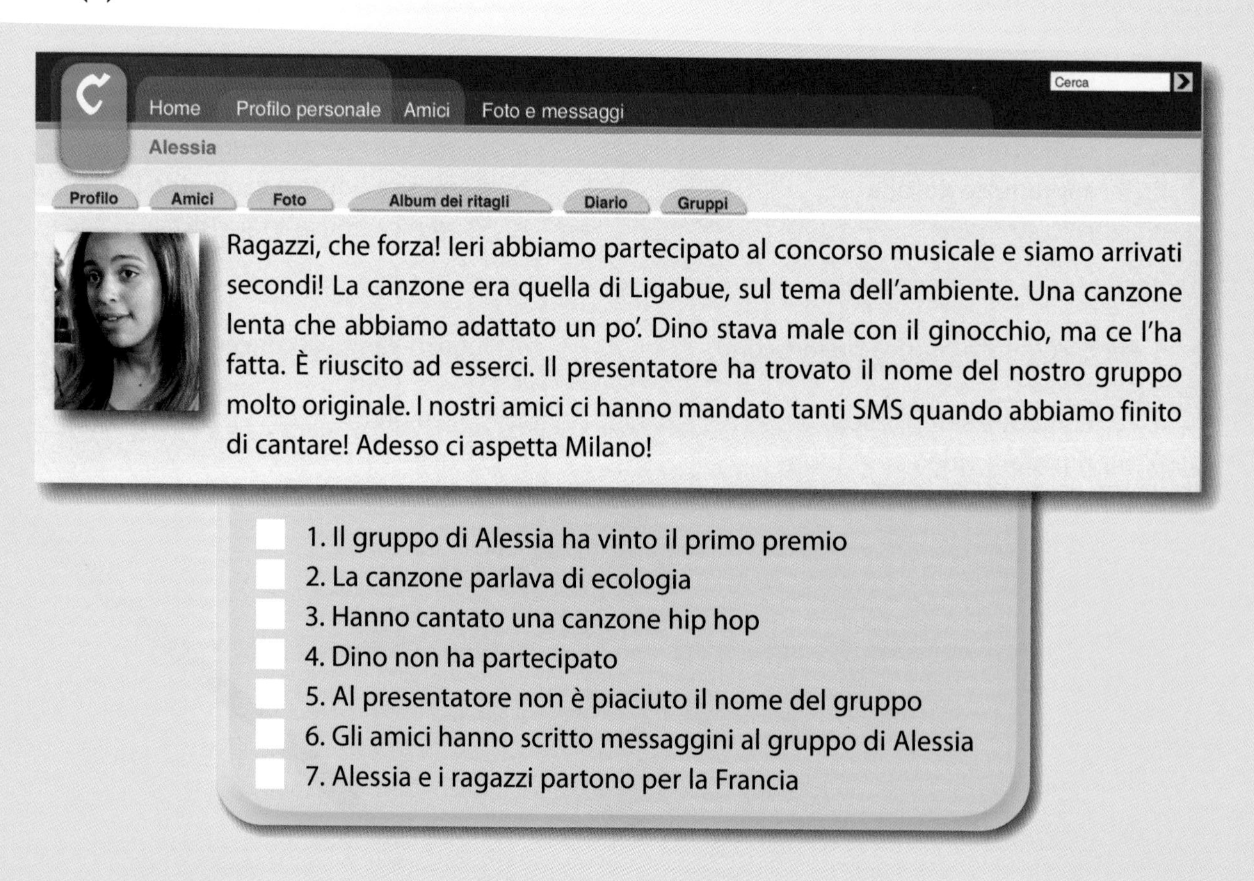

Ragazzi, che forza! Ieri abbiamo partecipato al concorso musicale e siamo arrivati secondi! La canzone era quella di Ligabue, sul tema dell'ambiente. Una canzone lenta che abbiamo adattato un po'. Dino stava male con il ginocchio, ma ce l'ha fatta. È riuscito ad esserci. Il presentatore ha trovato il nome del nostro gruppo molto originale. I nostri amici ci hanno mandato tanti SMS quando abbiamo finito di cantare! Adesso ci aspetta Milano!

- ☐ 1. Il gruppo di Alessia ha vinto il primo premio
- ☐ 2. La canzone parlava di ecologia
- ☐ 3. Hanno cantato una canzone hip hop
- ☐ 4. Dino non ha partecipato
- ☐ 5. Al presentatore non è piaciuto il nome del gruppo
- ☐ 6. Gli amici hanno scritto messaggini al gruppo di Alessia
- ☐ 7. Alessia e i ragazzi partono per la Francia

C Choose the correct verbs in each case.

1. Ragazzi, (1)................................ gli strumenti e (2)................................ a suonare!
   - 1) a. preparate / b. prepari / c. prepariamo
   - 2) a. comincia / b. cominciate / c. cominci

2. Dino, (1)................................ il progetto e (2)................................ la tua camera!
   - 1) a. finite / b. finisci / c. finiscono
   - 2) a. puliscono / b. pulisci / c. pulite

3. Mamma, per favore (1)................................ le magliette e (2)................................ a nonna!
   - 1) a. ordinate / b. ordina / c. ordineremo
   - 2) a. telefoni / b. telefonerete / c. telefona

4. Giulia e Dino, (1)................................ il microfono e (2)................................ qui ad aspettare il presentatore!
   - 1) a. prendi / b. prende / c. prendete
   - 2) a. sta' / b. state / c. stanno

5. Giulia, tu ed io (1)................................ in centro e (2)................................ spese!
   - 1) a. andiamo / b. andate / c. va'
   - 2) a. fate / b. fa' / c. facciamo

6. Tu (1)................................ a casa di Paolo e (2)................................ il testo della canzone!
   - 1) a. va' / b. vanno / c. andate
   - 2) a. porti / b. porta / c. porterà

Right answers: __/25

Unità 1

Read the clues and complete the crossword.

Across
3. Ogni gruppo canterà una ...
5. Ogni scuola deve scegliere un gruppo ...
6. Amicizia tra due scuole.
7. Ma tu sai suonare qualche ...?
9. Se vai ... così, non vincerai sicuramente il concorso!
10. Tempo verbale per fare progetti.

Down
1. – E Serena?
   – Mah, ... partita per le vacanze!
2. Il progetto di educazione ... è molto interessante e utile.
4. Dà attenzione e difende l'ambiente naturale.
8. Verrai dopo che ... finito di fare i compiti?

Check your answers on page 170.
Are you satisfied?

Unità 2

Read the clues and complete the crossword.

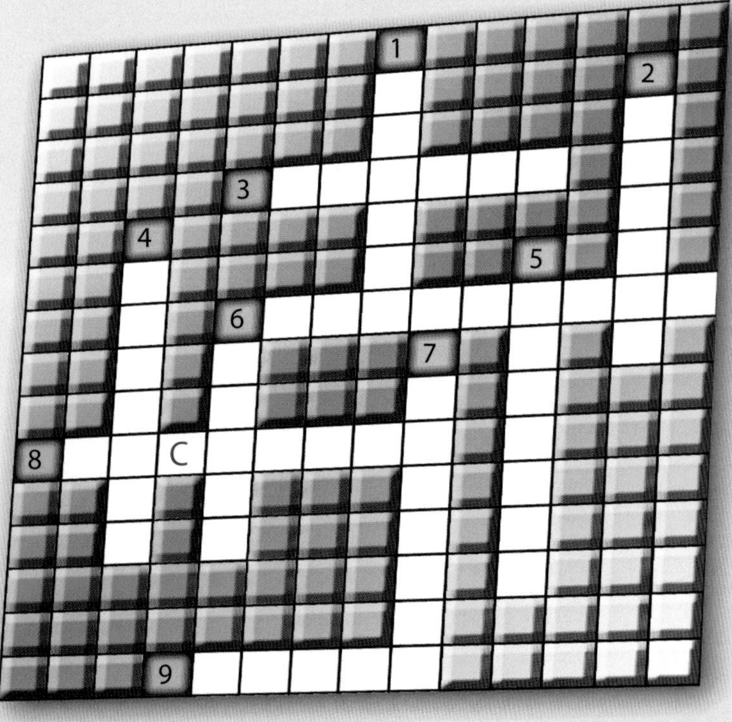

Across
3. Rai1, Rai2, Rai3 sono ... televisivi.
6. Ieri sera, mentre la mamma ... la cena, io guardavo la tv.
8. – Questo programma è noioso!
   – No, non sono ...! È molto interessante!
9. Tra secondo e quarto.

Down
1. Mi ha telefonato proprio ... andavo a casa sua.
2. Ieri ... molto caldo e siamo andati al mare.
4. Non hai visto il film su Canale 5, ieri? ..., era davvero bello.
5. Programma che propone vita reale in tv.
6. Ma davvero è già iniziato il secondo ... di *Cantare*?
7. Quando ero piccolo ... a casa da scuola con l'autobus.

Check your answers on page 170.
Are you satisfied?

Minitest

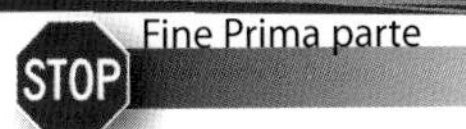

Unità 3

Read the clues and complete the crossword.

Across
3. Riutilizzare i rifiuti.
4. Ha due ruote e non ha motore.
5. Suoniamo in campagna! Non daremo ... a nessuno.
8. Strumento musicale elettrico con i tasti.
9. Devo comprare una lampadina a basso ...
10. Abiti in campagna? Davvero? Non ... sapevo!

Down
1. Il ... di energia e acqua è molto importante per l'ambiente.
2. L'auto che non inquina.
6. Per i rifiuti dobbiamo farla differenziata.
7. Strumento musicale e aggettivo.

Check your answers on page 170.
Are you satisfied?

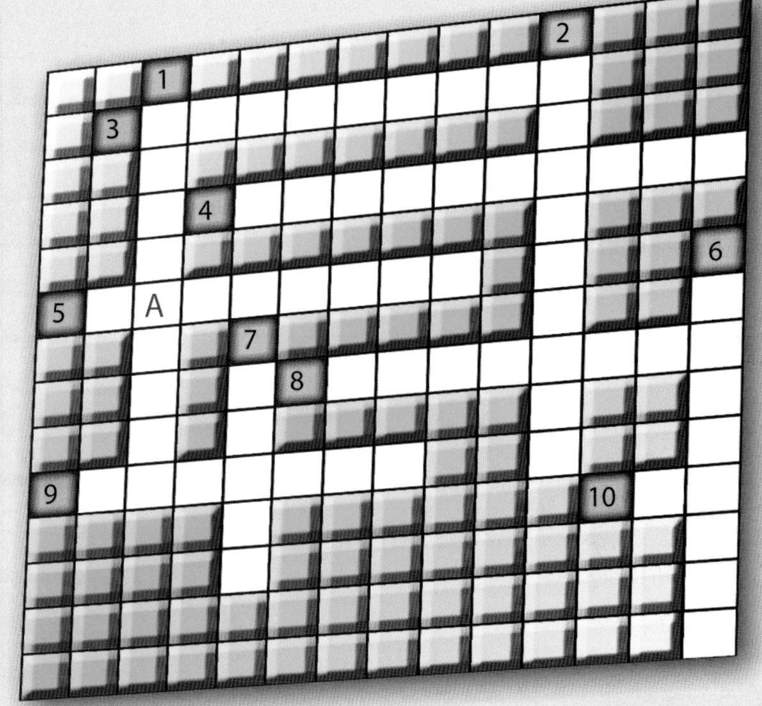

Unità 4

Read the clues and complete the crossword.

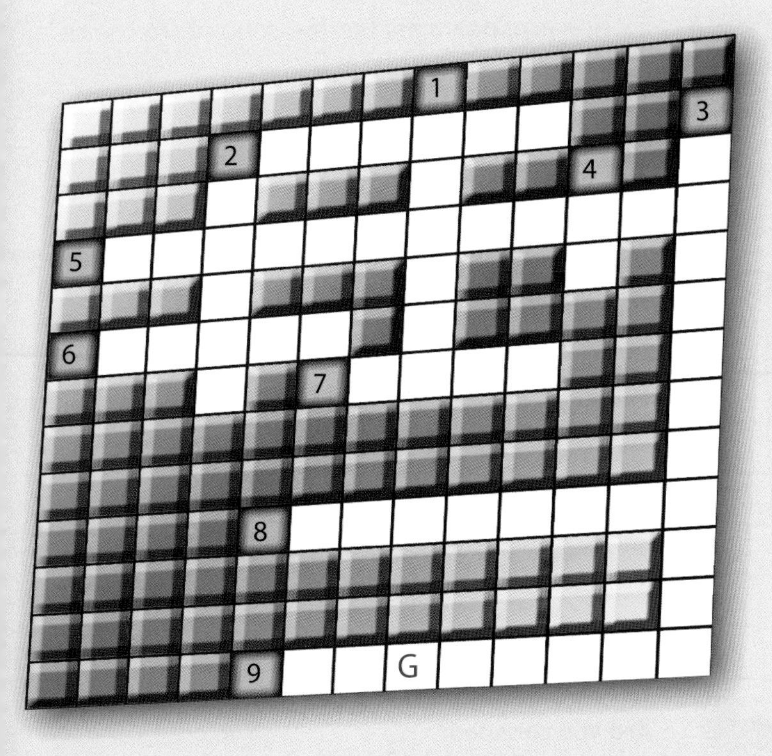

Across
2. Colore tra il bianco e il nero.
5. Ragazzi, ci vediamo stasera! ... a casa di Dino alle 8.
6. Può dirmi quanto ... questa maglietta?
7. Quella italiana è famosa nel mondo.
8. Indossare i vestiti.
9. Lo mettiamo sopra la camicia quando fa freddo.

Down
1. Il colore del sole.
2. Domani andremo a fare ... Ho bisogno di una nuova maglietta!
3. Un centro con tanti negozi.
4. Guarda quella gonna! Che ... pensi?

Check your answers on page 170.
Are you satisfied?

Unità 5

Read the clues and complete the crossword.

Across

3. Devi fare un po' di sport, non sei molto in ...!
4. Hai comprato una bella ... da ginnastica, ma non la usi mai!
7. Ti posso dare un ...? Non mangiare molti dolci!
8. Domani abbiamo l'ultima ... prima del concerto.
9. Mi ... ma non ti posso aiutare.
10. Oggi in tv c'è Juventus-Milan: sarà proprio una bella ...!

Down

1. Io sono ... dell'Inter, e tu?
2. Uno sport che pratichiamo in piscina.
5. La pallavolo è uno sport di ...
6. Ha telefonato Stefania, ... ho detto di chiamare più tardi.

Check your answers on page 170.
Are you satisfied?

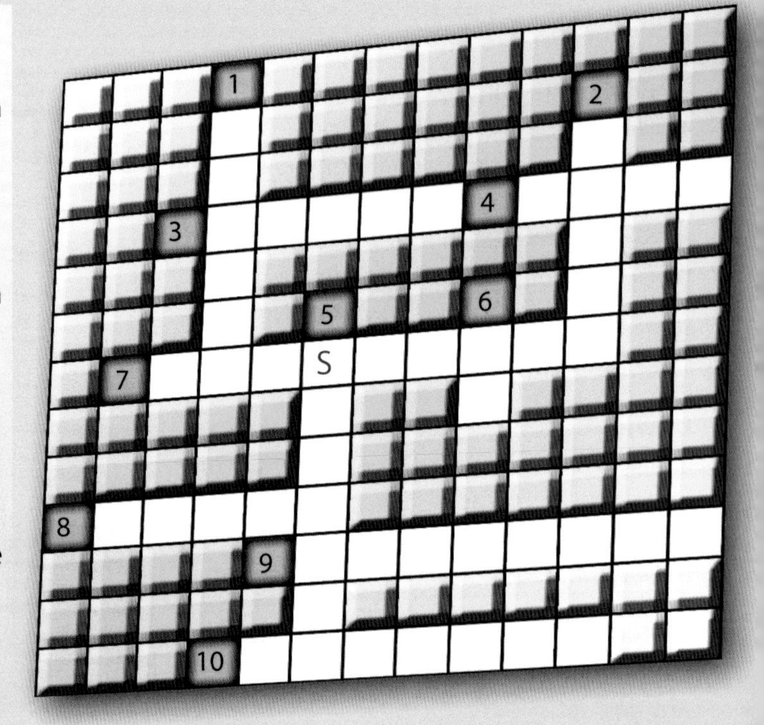

Unità 6

Read the clues and complete the crossword.

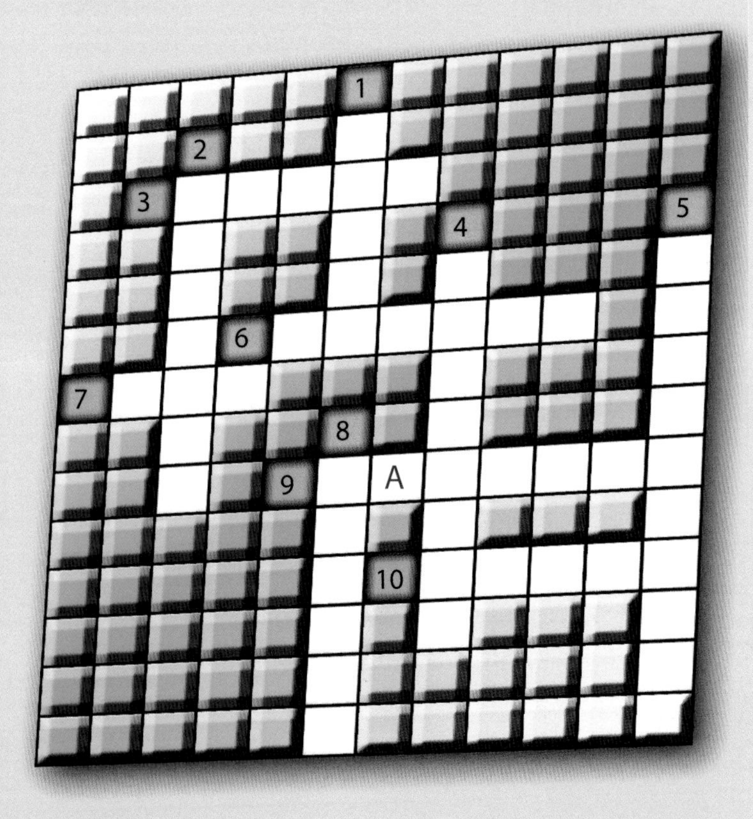

Across

3. Non aver paura per l'esame, sono sicuro che ce la ...!
6. Per favore, potete abbassare il ...? Non posso dormire!
7. Dino ha il ginocchio fuori ...
9. Non essere nervoso, ...! La situazione non è così grave.
10. Non è ... mia se mi sono fatto male un'ora prima del concerto!

Down

1. Per accendere il cellulare devi premere il ... rosso.
2. Vuoi uscire con gli amici? Prima però ... i compiti!
4. Persone che assistono ad uno spettacolo.
5. Da questo sito puoi ... tutte le canzoni che vuoi!
8. Le usiamo quando ascoltiamo musica con l'i-pod.

Check your answers on page 170.
Are you satisfied?

Grammatica@junior

Unità 1

The future tense (il futuro semplice)

	Conjugation I **MANDARE**	Conjugation II **SCEGLIERE**	Conjugation III **PULIRE**
io	mand**erò**	scegli**erò**	pul**irò**
tu	mand**erai**	scegli**erai**	pul**irai**
lui, lei	mand**erà**	scegli**erà**	pul**irà**
noi	mand**eremo**	scegli**eremo**	pul**iremo**
voi	mand**erete**	scegli**erete**	pul**irete**
loro	mand**eranno**	scegli**eranno**	pul**iranno**

As can be seen from the table, the conjugation of *-are* verbs is the same as the conjugation of *-ere* verbs.

Things to note about conjugation I verbs

a. Verbs ending in *-care* and *-gare* add an *h* between the stem of the verb and the future ending: **cercare** = *cerc**h**erò, cerc**h**erai, cerc**h**erà, cerc**h**eremo, cerc**h**erete, cerc**h**eranno*; **spiegare** = *spieg**h**erò, spieg**h**erai, spieg**h**erà, spieg**h**eremo, spieg**h**erete, spieg**h**eranno.*

b. Verbs ending in *-ciare* and *-giare* lose the *i* between the stem of the verb and the future ending: **cominciare** = *comincerò, comincerai, comincerà, cominceremo, comincerete, cominceranno*; **mangiare** = *mangerò, mangerai, mangerà, mangeremo, mangerete, mangeranno.*

Irregular verbs in the future tense

Infinitive	***Future***	***Infinitive***	***Future***
essere	*sarò*	rimanere	*rimarrò*
avere	*avrò*	bere	*berrò*
stare	*starò*	porre	*porrò*
dare	*darò*	venire	*verrò*
fare	*farò*	tradurre	*tradurrò*
andare	*andrò*	tenere	*terrò*
cadere	*cadrò*	trarre	*trarrò*
dovere	*dovrò*	spiegare	*spiegherò*
potere	*potrò*	pagare	*pagherò*
sapere	*saprò*	cercare	*cercherò*
vedere	*vedrò*	dimenticare	*dimenticherò*
vivere	*vivrò*	mangiare	*mangerò*
volere	*vorrò*	cominciare	*comincerò*

Dino sarà il manager del gruppo!

Uses of the future tense

The future tense is used to describe an action that, at the moment of speaking or writing, has not yet happened: *Ragazzi quest'anno organizzeremo un viaggio in Svezia.*

The future tense is used to express:

- a future plan: *I miei andranno in vacanza a settembre.*

- a prediction: *Domenica non pioverà.*
- a supposition: *Che ora è? Sarà già mezzogiorno? / Il padre di Chiara avrà più o meno quarant'anni.*
- a promise: *Oggi non mangerò neppure un gelato!*
- an uncertainty, a doubt: *Non credo che tornerete per le 5.*
- an order: *Quando entrerà il preside saluterete tutti!*
- a conditional sentence: *Se suonerai/suoni anche tu nel nostro gruppo, avremo certamente un successone.*

The future perfect tense (il futuro composto)

The future perfect tense is formed by using the future tense of the auxiliary verbs *essere* or *avere* + the past participle of the verb.
The future perfect tense is used to express:

- an action in the future that will occur **before** another action (which is expressed using the future tense) in the future. In this case the future perfect tense is always used after the time conjunctions: ***quando***, ***dopo che***, ***appena***, ***non appena***: *Uscirete solo dopo che avrete finito i compiti. / Appena sarà finita la partita, andremo tutti a mangiare qualcosa.*

In spoken language, the future tense is often used instead of the future perfect tense: *Uscirete solo dopo che finirete i compiti. / Appena finirà la partita andremo tutti a mangiare qualcosa.*

- an uncertainty, a doubt: *Perché non avranno risposto al nostro invito?*
- a possibility, a supposition: *Cosa dite? Avranno perso anche questa volta il treno?*

Quando il concorso sarà finito, saremo delle stelle!

Unità 2

The imperfect tense (l'imperfetto indicativo)

	Conjugation I PARLARE	Conjugation II LEGGERE	Conjugation III DORMIRE
io	parl**avo**	legg**evo**	dorm**ivo**
tu	parl**avi**	legg**evi**	dorm**ivi**
lui, lei	parl**ava**	legg**eva**	dorm**iva**
noi	parl**avamo**	legg**evamo**	dorm**ivamo**
voi	parl**avate**	legg**evate**	dorm**ivate**
loro	parl**avano**	legg**evano**	dorm**ivano**

The imperfect tense is used to express an incomplete action in the past that continued for a period of time. In particular the imperfect is used:

- in descriptions: *Vent'anni fa nella nostra città c'era molto più verde.*
- to express a habitual or repeated action in the past: *Ogni domenica Paolo andava con suo padre allo stadio.*
- to indicate two or more actions happening at the same time in the past: *Giulia studiava e ascoltava la radio. / Giulia studiava e sua sorella guardava la tv.*
- to ask for something politely: *Volevo due pizze ai quattro formaggi.*

In this case, **in spoken language**, the imperfect tense is used instead of the conditional.

- in journalism, in stories and in fairy tales: *C'era una volta un burattino di nome Pinocchio... / Ieri, all'incontro tra i paesi europei partecipava anche...*

Dino, tu alle elementari non cantavi nel coro?

Irregular verbs in the imperfect tense

Essere: *ero, eri, era, eravamo, eravate, erano*
Bere: *bevevo, bevevi, beveva, bevevamo, bevevate, bevevano*
Dire: *dicevo, dicevi, diceva, dicevamo, dicevate, dicevano*
Fare: *facevo, facevi, faceva, facevamo, facevate, facevano*
Porre: *ponevo, ponevi, poneva, ponevamo, ponevate, ponevano*
Tradurre: *traducevo, traducevi, traduceva, traducevamo, traducevate, traducevano*
Trarre: *traevo, traevi, traeva, traevamo, traevate, traevano*

Uses of the imperfect and perfect (passato prossimo) tenses

To express actions in the past:

a. the imperfect tense is used to describe past habits or the past attributes of a person or object (*Da bambina ero molto tranquilla.*) or to describe two actions that happened at the same time (*Mentre camminava, parlava al telefono.*).

b. the perfect tense is used to describe finished actions (*Ieri, Giulia ha chattato fino a mezzanotte.*), to list a sequence of finished actions (*Prima ho mangiato e poi ho guardato la tv.*) or to indicate an action that interrupted another action (*Mentre camminavo, ho incontrato Dino.*).

Avevo una partita e sono tornato alle 10.

Ho saputo da mia madre che hanno aperto un nuovo centro commerciale un po' fuori città.

Conoscere and *sapere*

Conoscere and *sapere* are used in the imperfect tense when we want to say that we already knew someone (*Questa sera, alla festa, Luca mi ha presentato Dino e Giulia, che io conoscevo già.*) or something (*Lo sapevi che da giovane il padre di Carlo cantava?*).

Conoscere and *sapere* are used in the perfect tense when we want to say that we met someone for the first time (*Ho conosciuto Stefania alla festa di Giulia.*) or that we have found something out from another person (*Ho saputo da mia madre che hanno aperto un nuovo centro commerciale un po' fuori città.*).

The pluperfect tense (il trapassato prossimo)

The pluperfect tense is formed by using the imperfect tense of the auxiliary verbs *essere* or *avere* + the past participle of the verb.
The pluperfect tense is used to describe a past action that occurred **before** another action (which is expressed with the perfect or imperfect tense) in the past: *Il professore ha detto che l'anno scorso le scuole avevano partecipato al concorso musicale con canzoni soprattutto italiane. / Mio nonno parlava sempre dei viaggi che aveva fatto quando era giovane.*

Unità 3

Direct object pronouns (i pronomi diretti)

Pronouns always take the place of a name (someone or something's) or a noun (a person, an animal or a thing). Direct object pronouns (which answer the questions *chi?* - who? *che cosa?* - what?) take the place of a direct object noun (direct because it isn't preceded by a preposition): *(Io) Leggo **il giornale** (direct object noun). = (Io) **Lo** (direct object pronoun) leggo.*

Direct object pronouns have two forms: an unstressed form and a stressed (emphatic) form.

Unstressed form

mi
ti
lo, la, La
ci
vi
li, le

Unstressed direct object pronouns are always placed before the verb (**pronoun** + **verb**): *Carlo **mi** saluta ogni volta che mi vede.*

La canzone è lenta, ma la canteremo in versione rock!

Stressed (emphatic) form

me
te
lui, lei, Lei
noi
voi
loro

Stressed (emphatic) direct object pronouns are always placed after the verb (**verb** + **pronoun**): *Carlo saluta **me** ogni volta che ci vede.*

When addressing someone using the polite form, the third person singular direct object pronoun (*La/Lei*) is always used: *Signora, La posso aiutare?*

When we need to add extra emphasis, both the direct object noun and the direct object pronoun are used: *Ragazzi, **la canzone la** canteremo benissimo, vedrete!*

The direct object pronoun *lo* followed by the verb *sapere* can take the place of a whole sentence: *-A che ora comincia la partita? -Non **lo so** (lo = a che ora comincia la partita). / -Quest'anno la nostra scuola organizza delle lezioni di educazione ambientale. -Sì, **l'ho saputo** e mi sembra un'ottima idea (l' = che la nostra scuola organizza delle lezioni di educazione ambientale). / -Sapevi che la ricerca di storia era per oggi? -No, non **lo sapevo** (lo = che la ricerca di storia era per oggi).*

Direct object pronouns used in compound tenses

In the perfect tense, and in all compound tenses, the past participle **must** agree with the unstressed direct object pronouns *lo, la, li, le*: *-Hai visto l'ultimo film di Moretti? -Sì, **l'**ho vist**o**. / -Dove hai comprato questa bella camicetta? -**L'**ho comprat**a** quando sono andata a Roma. / -Avete visto Dino e Paolo per caso? -Sì, **li** abbiamo incontrat**i** nel cortile della scuola durante l'intervallo. / -Hai visto le mie chiavi di casa? -**Le** ho mess**e** nell'ingresso, accanto al telefono.*

In the perfect tense, and in all compound tenses, agreement of the past participle with the unstressed direct object pronouns *mi, ti, ci, vi* is **optional**: *-Giulia, come sei andata alla stazione? -**Mi** ha accompagnato/**a** mia madre. / Chiara, chi **ti** ha accompagnat**o/a**? / Lo so che **ci** avete aspettat**o/i** per un'ora, ma sia io che Matteo non siamo riusciti a venire prima. / Ragazze, **vi** ho già invitat**o/e** alla mia festa?*

The *o* and *a* of the direct object pronouns *lo* and *la* are replaced by an apostrophe when they precede the verb *avere* (*ho, hai, ha, abbiamo, avete, hanno*) and, in general, when they precede a verb that begins with a vowel: *-Avete preso la chitarra? -Sì, **l'**ho presa io. / Hai ascoltato l'ultima canzone di Vasco? -**L'**ascolto proprio ora.*

The partitive pronoun *ne* (il pronome partitivo *ne*)

Bella idea una canzone sull'ambiente! Ma ne esiste una?

The partitive pronoun *ne* is used to indicate **one part** of a whole: *-La bevi tutta l'aranciata? -No, **ne** bevo solo un bicchiere (ne = di tutta l'aranciata).*
The direct object pronouns *lo, la, li, le* are used to indicate the whole of something: *-La bevi tutta l'aranciata? -Sì, **la** bevo tutta (la = l'aranciata). / -Hai mangiato tu i cioccolatini che erano sul tavolino? -Sì, **li** ho mangiati io (li = tutti i cioccolatini).*

In the perfect tense, and in all compound tenses, the past participle must agree in number and gender with the direct object that *ne* represents: *-Vuoi un caffè? -No, grazie, **ne** ho già bevut**i** **due**. / La torta era buonissima, **ne** ho mangiat**e** **due fette**. / -Mamma, hai comprato le mele? -Sì, **ne** ho comprat**i** **due chili**.*

Direct object pronouns used with modal verbs

Unstressed direct object pronouns (*mi, ti, lo, la, La, ci, vi, li, le*), when used with a modal verb (*potere, volere, dovere*) or other phraseological verb (*cominciare a, finire di, sapere, stare per, stare* + gerund) that is followed by an infinitive, can go **before** the verb or **after** the infinitive: *Questa gonna è troppo cara, non **la** posso comprare. = Questa gonna è troppo cara, non posso comprar**la**.*

Queste scarpe sono troppo care, non le posso comprare.

Unità 4

Reflexive and reciprocal verbs (i verbi riflessivi e reciproci) in the present tense

Reflexive verbs are used to describe an action that the subject does to him or herself; in other words, the action 'reflects back' on the subject. In a sentence with a reflexive verb the subject and the object are therefore the same person: *Maria si lava. = Maria lava se stessa.*
Reflexive verbs conjugate like any other verb, but in addition a reflexive pronoun (*mi, ti, si, ci, vi, si*) is needed before the verb.
The reflexive pronoun follows the verb only when using the direct (informal) imperative, an infinitive, a gerund or a past participle.

	Conjugation I	Conjugation II	Conjugation III
	ALZARSI	**VEDERSI**	**DIVERTIRSI**
io	**mi** alz**o**	**mi** ved**o**	**mi** divert**o**
tu	**ti** alz**i**	**ti** ved**i**	**ti** divert**i**
lui, lei	**si** alz**a**	**si** ved**e**	**si** divert**e**
noi	**ci** alz**iamo**	**ci** ved**iamo**	**ci** divert**iamo**
voi	**vi** alz**ate**	**vi** ved**ete**	**vi** divert**ite**
loro	**si** alz**ano**	**si** ved**ono**	**si** divert**ono**

Giulia si guarda allo specchio.

Reciprocal reflexive verbs are used to describe an action that two or more people do to each other; in other words, the action is 'reciprocated': *Andrea e Alessia si amano. = Andrea ama Alessia e Alessia ama Andrea.*

Reflexive verbs in compound tenses

In compound tenses reflexive verbs are always conjugated using the auxiliary verb *essere*: *Ieri, Paolo* ***si è*** *alzat***o** *tardi. / Ieri, Chiara* ***si è*** *alzat***a** *tardi. / Ieri, Paolo e Chiara* ***si sono*** *alzat***i** *tardi. / Ieri, Chiara e Giulia* ***si sono*** *alzat***e** *tardi.*
Consequently, the past participle always agrees in gender and number with the subject.

Reflexive verbs used with modal verbs

With a modal verb (*potere, volere, dovere*) or a phrasal verb (*cominciare a, finire di, sapere, stare per, stare* + gerund) that is followed by the *infinitive* of a reflexive or reciprocal verb, the reflexive pronoun can go **before** the verb or **after** the infinitive: *Domani* ***mi*** *devo svegliare presto. = Domani devo svegliar***mi** *presto.*

With a modal verb (*potere, volere, dovere*) in compound tenses, the auxiliary verb is *essere* if the reflexive pronoun **precedes** the modal verb; the auxiliary verb is *avere* if the reflexive pronoun **follows** the infinitive: *Non* ***mi sono*** *potuto svegliare alle 8 perché ieri sera ho dormito tardi. / Non* ***ho*** *potuto svegliar***mi** *alle 8 perché ieri sera ho dormito tardi.*

Unità 5

Indirect object pronouns (i pronomi indiretti)

Pronouns always take the place of a name (someone or something's) or a noun (a person, an animal or a thing). Indirect object pronouns take the place of an indirect object noun (indirect because it is preceded by the preposition *a*, and answers the question *a chi?* - to whom? *a che cosa?* - to what?): *(Io) Telefono* ***a Chiara*** *(indirect object noun) più tardi.* = *(Io)* ***Le*** *(indirect object pronoun) telefono più tardi.*

Ti telefono più tardi, Paolo. Ciao!

Indirect object pronouns have two forms: an unstressed form and a stressed (emphatic) form.

Unstressed form

mi
ti
gli, le, Le
ci
vi
gli

Unstressed indirect object pronouns are always positioned before the verb (**pronoun** + **verb**): *Gli amici, per il mio compleanno, **mi** hanno regalato un libro.*

The indirect object pronoun follows the verb only when using the direct (informal) imperative, an infinitive, a gerund or a past participle.

Stressed (emphatic) form

a me
a te
a lui, lei, Lei
a noi
a voi
a loro

When addressing someone using the polite form, the third person singular indirect object pronoun (*Le/a Lei*) is always used: *Signora, Le piace questa camicetta?*

The unstressed indirect object pronoun has two forms in the third person plural: *gli* and *loro*. The pronoun *loro* is less common and is positioned after the verb: *Ho detto a Laura e Alberto di incontrarci nel pomeriggio.* = ***Gli*** *ho detto di incontrarci nel pomeriggio.* = *Ho detto* ***loro*** *di incontrarci nel pomeriggio.*

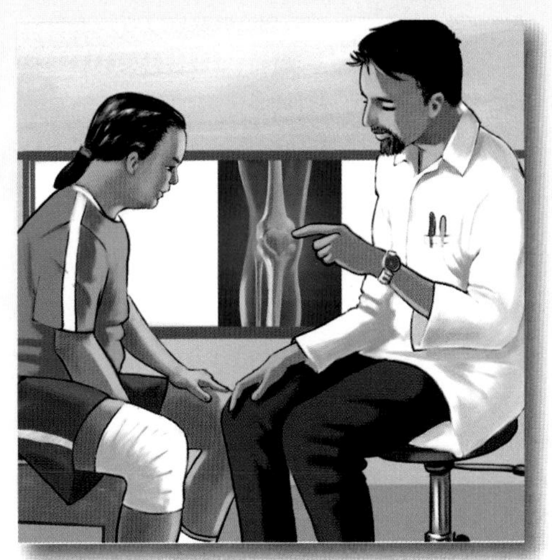

Il medico ha visitato Dino e gli ha detto di rimanere a letto.

Indirect object pronouns used in compound tenses

When indirect object pronouns are used in compound tenses, the past participle does not agree: *Lo sapevo, Valeria non ha detto bugie* ***a Carla****.* = *Lo sapevo, Valeria non* ***le*** *ha dett**o** bugie.* / *Ho scritto un'e-mail* ***a Francesca e a Giulia*** *per invitarle al mio compleanno.* = ***Gli*** *ho scritt**o** un'e-mail per invitarle al mio compleanno.*

But beware. Indirect object pronouns are always used with the verb *piacere* but, in compound tenses, the past participle **must** agree: *Vi è piaciut**o** il libro?; È piaciut**o** a voi il libro? / Vi è piaciut**a** la canzone?; È piaciut**a** a voi la canzone? / Vi sono piaciut**i** i regali?; Sono piaciut**i** a voi i regali? / Vi sono piaciut**e** le fotografie?; Sono piaciut**e** a voi le fotografie?*

Indirect object pronouns used with modal verbs

Unstressed indirect object pronouns (*mi, ti, gli, le, Le, ci, vi, gli*), when used with a modal verb (*potere, volere, dovere*) or a phrasal verb (*cominciare a, finire di, sapere, stare per, stare* + gerund) that is followed by an *infinitive*, can go **before** the verb or **after** the infinitive: *Voglio comprare un regalo a mia madre.* = ***Le*** *voglio comprare un regalo.* = *Voglio comprar**le** un regalo.* / *Professor Ferri,* ***Le*** *posso parlare?* = *Professor Ferri, posso parlar**Le**?*

Unità 6

The direct (informal) imperative (l'imperativo diretto)

The imperative is used to give orders or advice. Direct (informal) imperative is the name used to refer to the imperative of the second person singular (*tu*), of the first person plural (*noi*), and of the second person plural (*voi*).

	Conjugation I GUARDARE	Conjugation II LEGGERE	Conjugation III APRIRE / FINIRE
tu	guard**a!**	legg**i!**	apr**i!** / fin**isci!**
noi	guard**iamo!**	legg**iamo!**	apr**iamo!** / fin**iamo!**
voi	guard**ate!**	legg**ete!**	apr**ite!** / fin**ite!**

As can be seen from the table, the conjugation of the direct imperative is the same as that of the present tense; the exception is that the second person singular (*tu*) of *-are* verbs ends in *-a* and not *-i*: *Giovanni, mangi**a** la frutta! / Alessia, guard**a** che bel disegno ho fatto! / Dino, ascolt**a** questa canzone!*

Paolo, prendi un taxi e vieni subito!

The direct (informal) imperative in negative sentences

The negative form of the first person plural (*noi*) and the second person plural (*voi*) of the direct imperative is the same as that of the present tense. In other words, **non** is placed before the verb *Non dimentichiamo i cd!; Non prendiamo l'autobus!; Non partiamo oggi! / Non mangiate più dolci!; Non scrivete altri sms!; Non aprite la finestra!*
In the second person singular (*tu*), the negative takes the form **non + infinitive** of the verb: *(tu) Non mangiare!; (tu) Non scrivere!; (tu) Non finire!*

The direct (informal) imperative of the verbs *essere* and *avere*

	essere		avere	
	Positive form	**Negative form**	**Positive form**	**Negative form**
tu	sii!	non essere!	abbi!	non avere!
noi	siamo!	non siamo!	abbiamo!	non abbiamo!
voi	siate!	non siate!	abbiate!	non abbiate!

The direct (informal) imperative with pronouns

Direct and indirect object pronouns, and the pronouns *ci* and *ne*, are added to the end of the direct imperative to form a single word: *Scrivi**la** subito! / Regaliamo**gli** un orologio! / Prendete**ne** solo tre!*

With the negative direct imperative, pronouns can go either **before** the verb or **after** the verb. If placed after the verb, they are added to the verb to form a single word: *Non **le** telefonare ora! / Non telefonar**le** ora!*

With **irregular forms** of the direct imperative in the second person singular (*andare = va' / dare = da' / fare = fa' / stare = sta' / dire = di'*), the first consonant of the pronoun becomes a double letter: *Va' a Roma! = Va**cci**! / Da' questo libro a tuo padre! = Da**llo** a tuo padre! / Fa' quello che ti dico! = Fa**llo**! / Sta' accanto a Stefania! = Sta**lle** accanto! / Di' a me la verità! = Di**mmi** la verità!*
The pronoun *gli* is an exception: *Da' il libro a Riccardo! = Da**gli** il libro!*

UNITÀ 1

EPISODIO (read the dialogue on page 8 before watching)

1 **Before watching the film clip, look at the picture: after school Paolo and Dino speak to one of their classmates. What are they talking about, in your opinion?**

2 **Watch the film clip. Who says the following sentences?**

	Paolo	Dino
1. No, io allora preferisco Londra!		
2. Ah, sì, educazione ambientale. Sì, anche questo è interessante...		
3. E vinceremo noi!		
4. Magari puoi fare il ballerino...!		
5. Vuole l'e-mail della tua segretaria per mandare il suo curriculum!		

3 **Answer the following questions. Feel free to watch the film clip again.**

1. Perché Matteo non è andato a scuola?
2. Che città preferisce Matteo per il gemellaggio?
3. Cosa pensa Matteo del concorso musicale?
4. Perché Dino è sicuro di vincere il concorso?
5. Cosa fanno i due ragazzi durante la telefonata?

INTERVISTE

Watch the interviews and match the sentences to the correct person. Be careful, though: there are two extra sentences!

1. Ha diretto l'attività il professore di musica.
2. Non ha partecipato all'attività extrascolastica.
3. Ho partecipato ma non lo farò in futuro.
4. La professoressa era brava.
5. Avevo un impegno, non ho partecipato.
6. Il concorso di musica è riservato solo a chi suona bene.

QUIZ

Look at the four possible answers to the first question. With a partner, try to guess what the question could be. When you are ready, watch the quiz to see if you are right.

UNITÀ 2

EPISODIO (read the dialogue on page 22 before watching)

1 **Watch the first 20 seconds of the film clip with the sound turned off. Where are the teenagers? What are they doing? Try to match the following lines from the clip to the correct film frame.**

1

a. Paolo, è possibile forse vedere almeno 10 secondi dello stesso canale? ☐

b. Ecco, la pubblicità è finita. Tra poco comincia. ☐

2

2 **Watch the film clip and complete the character's lines.**

Allora, l'ultima puntata del primo ciclo .... con Mario che aveva rifiutato un contratto.

INTERVISTE

Watch the interviews and tick the statements that are correct.

1. Guardo la tv la sera.
2. Passo tutto il fine settimana davanti alla tv.
3. Mi piacciono i film gialli e horror.
4. Le trasmissioni comiche mi mettono di buon umore.
5. Mi piace "Dragonball".
6. Non mi piace il telegiornale.

QUIZ

First read the questions and try to match them to the answer options given. Then, watch the quiz and check your answers.

1. Per dire "sì" possiamo usare anche una delle seguenti parole:
2. Se voglio cambiare canale ho bisogno di:

UNITÀ 3

EPISODIO (read the dialogue on page 36 before watching)

1 **Watch the film clip and put the things Dino says to his father in chronological order.**

a. Non saremo in pochi nella casa di campagna.
b. Vogliamo fare le prove domani.
c. Mi compri la consolle?
d. Possiamo usare la casa in campagna per le prove?
e. Ci puoi accompagnare in macchina tu?

2 **What do the expressions in blue mean? Choose the correct answer from the options provided.**

a. "Ho fatto tutto!"
b. "Ci sono riuscito!"

a. "c'è posto per"
b. "che relazione ha"

3 **Answer the following questions.**

1. Perché Dino ha paura di chiamare il padre?
2. Perché i ragazzi devono fare le prove musicali?
3. Per quale ragione Dino chiede la consolle?
4. In quanto tempo arriveranno alla casa di campagna?
5. A che ora dovranno tornare a casa i ragazzi?

INTERVISTE

Watch the interviews and match the answers to the correct person. Be careful, though: some of the teenagers give the same answers!

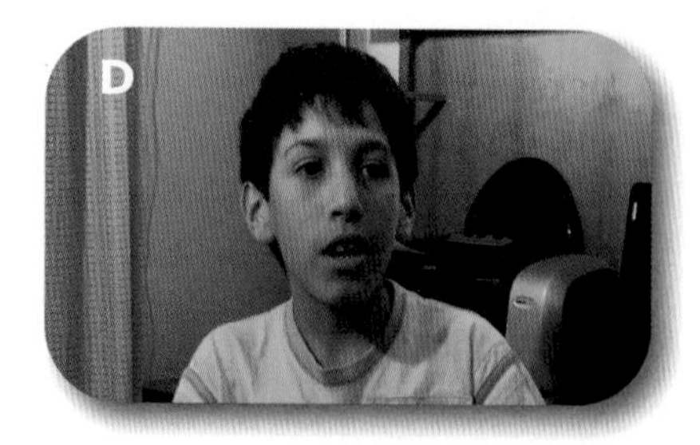

1. inquinamento
2. volontariato ecologico
3. uso della bicicletta
4. raccolta differenziata

QUIZ

This is the second question. If option B is the correct answer, what could the question be? Find out what your classmates think. Watch the quiz to check your answer.

UNITÀ 4

EPISODIO (read the dialogue on page 55 before watching)

1 Watch the film clip and put the film frames in chronological order. Then, describe what is happening in the scenes.

2 Insert the missing words to complete the sentences and match them to the appropriate film frame.

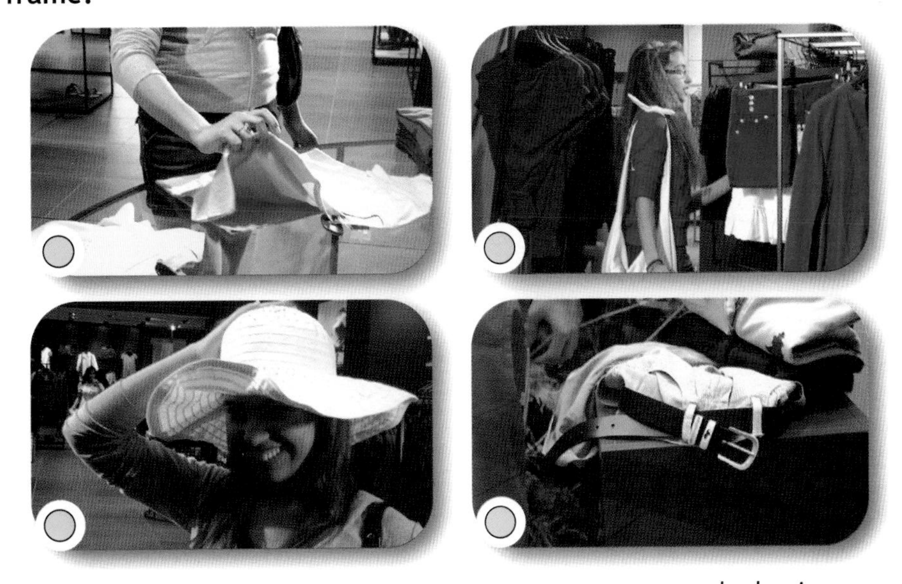

1. Alessia vede in una vetrina una .... che le piace.
2. A Chiara piace una .... rosa.
3. Chiara chiede se ci sono le .... rosse.
4. Alessia si prova un .... molto strano.

3 **Look at activity 3 on page 54: which of the items of clothing are the two girls talking about?**

INTERVISTE

Before watching the interviews, try to guess who says the sentences below and match them to the correct picture. Then, watch the interviews to check your answers.

1. Non vado in un particolare negozio.
2. Secondo me, l'abbigliamento conta abbastanza.
3. Vestirsi bene è importante.
4. Scelgo da sola quello che indosso.
5. Mi vesto proprio a modo mio, io.
6. Non mi interessa la moda.

QUIZ

Before watching the quiz, read the quiz show host's question. With a partner, make up four possible answers (one must be the correct answer!). If you want, following the quiz format, try to come up with a witty or unlikely answer!

Ⓐ ______________ Ⓑ ______________

Ⓒ ______________ Ⓓ ______________

UNITÀ 5

EPISODIO (read the dialogue on page 64 before watching)

1 **Before watching the film clip, read the first five lines of the dialogue and try to put them in chronological order.**

1 a. Allora Dino, cominciamo con 10 minuti di corsa, giusto per fare riscaldamento, ok?
b. Guarda che se corri per dieci minuti e poi mangi per mezz'ora non risolvi molto! Allora, sei pronto?
c. Va bene, dopo però andiamo a fare colazione, eh? Non ho mangiato niente da stamattina!
d. Sì! ...Almeno credo...
e. Sì, dai! Piano piano, non partire come un razzo, che dopo ti stanchi subito!

2 **Based on the dialogue you have put together, what do you think will happen in this film clip.**

3 **Watch the film clip and check whether your assumptions are correct. In addition, what is the correct meaning of the expressions in blue?**

1. a. "Accidenti!" b. "Allora"

2. a. "per fortuna" b. "forse"

INTERVISTE

Listen to the interviews and match the teenagers to the activity (1-5) they mention in their interview.

A	B	C
Pratica:	Pratica:	Le piace:
Le piace:	Gli piace:	Le piace seguire:

QUIZ

Before watching the quiz, read two of the questions (shown below) and try to match them to some of the answer options given. Be careful, though: there are two extra options!

1. Quale di questi sport NON si gioca in un campo:
2. Quando qualcuno è diventato triste per qualcosa diciamo che:

a. è stato male
b. pallacanestro
c. calcio
d. a Roma
e. ha fatto male
f. comunque

UNITÀ 6

EPISODIO (read the dialogue on page 83 before watching)

1 **After watching the film clip, look at the three film frames below and describe what is happening.**

2 **During the film clip we heard several verbs in the direct imperative. Do you remember them? Complete the lines for each of the following film frames.**

No, davvero, non mi va. .... pure, Dino. E .... tranquillamente la Coca.

Paolo, ..., se no tra un po' non la trovi più sul piatto, eh!

Sì, è proprio lui! Dino, ... un autografo!

INTERVISTE

Before watching the interviews, look at the photos of the young people interviewed and read the sentences. In your opinion, which of the teenagers said them? Watch the interview and check whether you are right.

1. Ascolto la musica quasi sempre a casa mia.
2. Mi piace ascoltare musica del mio territorio.
3. Mi piacciono un po' tutti i generi musicali.
4. Il mio cantante preferito è Nek.
5. I cd costano un po' troppo.
6. Mi piace avere i cd originali.

QUIZ

Look at the four possible answers to the second question. With a partner, think of one or two likely questions and then compare your answers with those of the other groups. Once you have done that, watch the quiz to check your answers.

Glossary

The vocabulary, divided into units and sections (*Student's book* and *Workbook*), is listed in alphabetical order. When the stressed syllable is not the penultimate one, the stressed vowel is indicated with an underscore (for example: *dialogo, farmacia*). The same applies to words with an unclear stress.

	Abbreviazioni	Abbreviations		Abbreviazioni	Abbreviations
avv.	avverbio	adverb	*pl.*	plurale	plural
f.	femminile	feminine	*inf.*	infinito	infinitive
m.	maschile	masculine	*p.p.*	participio passato	past participle
sg.	singolare	singular			

Prima di... cominciare
STUDENT'S BOOK

burro: butter

cellulare, *il*: mobile phone

chiacchierare: to chat

chiedere (*p.p.* chiesto): to ask

contorno: side dish

durante (*avv.*): during

hobby, *l'* (*m.*): hobby

in orario: on time

iniziare: to start

involtini alla romana, *gli*: stuffed escalope rolls

navigare: to browse

perciò: therefore

perdere (*p.p.* perso): to lose

rifiutare: to refuse

scarico/a: out of battery

un sacco di...: loads of...

verificare: to check

volentieri (*avv.*): gladly

zaino: backpack

Unità 1 – *Progetti... extrascolastici*
STUDENT'S BOOK

a proposito di...: on the subject of...

a volte: sometimes

Acquario: Aquarius

ambientale: environmental

ambiente, *l'* (*m.*): environment

ambiguo/a: ambiguous

amichevole: friendly

andare d'accordo: to get on well

andare in giro: to go around

animale domestico: pet

appena (*avv.*): as soon as

appunto (*avv.*): exactly

Ariete, *l'* (*m.*): Aries

astro: star

astrologia: astrology

autonomamente (*avv.*): autonomously

avanti (*avv.*): ahead

avere l'occasione di...: to have the opportunity to...

avventura: adventure

avvocato: lawyer

babilonese: Babylonian

basato/a su...: based on...

base, *la*: basis

basso: bass guitar

batteria: drum kit

Bilancia: Libra

biologico/a: organic

bioritmo: biorythm

bisogna (*inf.* bisognare): to need to

bosco: woodland

Campionato: championship

Cancro: Cancer

Capricorno: Capricorn

celtico/a: celtic

chitarra: guitar

compreso/a: included

concorso: contest

confermare: to confirm

conservatorio: school of music

consultare: to consult

contare: to count

contratto: contract

convinto/a: convinced

coraggioso/a: courageous

costruttivo/a: constructive

creativo/a: creative

curiosità: curiosity

da grande: as a grown-up

del tutto: completely

deserto: desert

destinatario: (here) participant

distratto/a: distracted

donare: to give

ecologia: ecology

educazione, *l'* (*f.*): education

entusiasmo: enthusiasm

esatto/a: correct

esperienza, *l'* (*f.*): experience

evento: event

extracurricolare: extracurricular

extrascolastico/a: extracurricular

fantasia: imagination

fiducia: trust

figura: (here) impression

finale: final

formare: to form

formativo/a: training

forte: great! / strong

futuro composto: future perfect

futuro semplice: future simple

gara: competition

gemellaggio: twinning

Gemelli, *i*: Gemini

gente, *la*: people

giudicare: to judge

giurare: to swear

guida: driving

indagine, *l'* (*f.*): survey

indipendente: independent

inizialmente (*avv.*): initially

iniziativa: initiative

insistere (*p.p.* insistito): to insist

intorno (a) (*avv.*): around

ipotesi, *l'* (*f.*): prediction

leader, *il*: leader

Leone, *il*: Leo

letterario/a: literary

logico/a: logical

Luna: moon

magari (*avv.*): perhaps

manager, *il/la*: manager

mascherina: mask

Maya: Mayan

meritare: to deserve

mettere dei soldi da parte: to save some money

moderno/a: modern

mostra: exhibition

musicale: musical

naturale: natural

nel corso di...: throughout...

nervoso/a: nervous

nuotare: to swim

nuovamente (*avv.*): again

ogni tanto: every now and then

onesto/a: honest

organizzare: to organise

originale: original

oroscopo: horoscope

ottimista, *l'* (*m./f.*): optimistic

partecipare: to participate

particolarmente (*avv.*): particularly

patentino: temporary driving licence

paura: fear

paziente: patient

perfino (*avv.*): even

periodico: magazine

periodo ipotetico: conditional

Pesci, *i*: Pisces

piano: programme

pianoforte, *il*: piano

poesia: poetry

prendere in considerazione: to take into consideration

prevedere (*p.p.* previsto): to predict

previsione, *la*: prediction

promessa: promise

promettere (*p.p.* promesso): to promise

proporre (*p.p.* proposto): (here) to offer

proteggere (*p.p.* protetto): to protect

pulito/a: clean

raccogliere (*p.p.* raccolto): to collect

realista: realistic

realizzare: (here) to put into practice

riferimento: reference

rischio: risk

ritenere: to think

romantico/a: romantic

Sagittario: Sagittarius

sbagliare: to make a mistake

scherzare: to joke

scientifico/a: scientific

Scorpione, *lo*: Scorpio

secondo me: in my opinion

sedicesimo/a: sixteenth

segno zodiacale: star sign

seguente: following

sembra (*inf.* sembrare): it seems

sensibile: sensitive

sensibilizzazione, *la*: awareness-raising

sesso: sex

sfruttare: to make the most of

si tratta di...: it's about...

società: society

sogno: dream

sperare: to hope

squadra: team

stella: star

stradale: road (*adj.*)

strumento: instrument

studio: studio

sul serio: seriously

suonare: to play

suscitare: to stir up

tarocco: tarot

timido/a: shy

tipo: (here) guy

Toro: Taurus

unico/a: only

usare: to use

vario/a: various

Vergine, *la*: Virgo

volante: flying

zodiaco: zodiac

WORKBOOK

addormentarsi: to fall asleep

alla grande: in a big way

applicazione, *l'* (*f.*): application

argomento: topic

assegnare: to assign

band, *la*: band

barzelletta: joke

chilo: kilo

contento/a: happy

coraggio...!: (here) chin up!

corso: course

cultura: culture

culturale: cultural

esame, *l'* (*m.*): exam

gastronomia: gastronomy

giocare a filetto: to play noughts and crosses

giocatore, *il*: player

grosso/a: big

inviare: to send

iscriversi (*p.p.* iscritto): to enrol

lasciare: to let

olimpiadi, *le*: Olympic Games

palco: stage

pesare: to weigh

profilo: profile

quanto/a: (here) as much

rappresentazione, *la*: performance

recupero: saving

robot, *il*: robot

rumore, *il* (*m.*): noise

scambio: exchange

scienza: science

studentesco/a: student (*adj.*)

teatrale: theatrical

titolo: title

un bel po': a good deal

violino: violin

Unità 2 – *Televisione*
STUDENT'S BOOK

a lungo: for a long time

a meno che: unless

a. C. (avanti Cristo): BC (Before Christ)

abituale: habitual

adeguato/a: suitable

adolescente, *l'* (*m./f.*): teenager

amato/a: loved

andare in onda: to go on the air

Glossary

antenna parabolica: satellite dish

attualità: current affairs

avere in mente: to have in mind

biondino/a: blonde

canale, *il*: TV channel

Cartagine: Carthage

cartone animato: cartoon

casa discografica: record company

ce la farai (*inf.* farcela): you can do it

Cesare: Caesar

ci sto: count me in

ci serve (*inf.* servire): we need

ciascuno/a: each one

Cicerone: Cicero

ciclo: round

Cleopatra: Cleopatra

cono: ice-cream cone

conquistare: to win

convincere (*p.p.* convinto): to convince

coro: choir

da anni: for years

decina: dozen

decoder, *il*: decoder

digitale: digital

dimensione, *la*: dimension

disaccordo: disagreement

documentario: documentary

dolce, *il*: dessert

elementari, *le*: elementary school

episodio: episode

esagerare: to go over the top

fare caso: to pay attention

febbre, *la*: fever

festival, *il*: festival

fiction, *la*: sci-fi programme

film comico, *il*: comedy film

film d'azione, *il*: action film

film, *il*: film

finale, *la*: final

G.P. (Gran Premio): G.P. (Grand Prix)

genio: genius

già (*avv.*): already / right!

gioco: game

giornalista, *il/la*: journalist

gratis: free of charge

home cinema, *l'* (*m.*): home cinema

imperfetto indicativo: imperfect indicative

in forma: fit

in meno: less

in più: more

intero/a: whole

legato/a: linked

legionario: legionary

locale: local

mandare in onda: to broadcast

medio/a: average

meno male: thank goodness

mente, *la*: mind

mica (*avv.*): (here) at all

Nazionale, *la*: national team

nemmeno (*avv.*): not even

notizia: news

parere, *il*: opinion

passatempo: hobby

peccato: shame

pollice, *il*: inch

presentatrice, *la*: presenter

presentazione, *la*: presentation

privato/a: private

produttore, *il*: producer

pubblicità: advertising

puntata: episode

qualsiasi: any

quiz, *il*: quiz

radiotelevisione, *la*: radio and television

reality, *il*: reality show

Remo: Remus

ricominciare: to start again

ricordare: to remember

riuscire a: to succeed in

rivista: magazine

rivolto/a: aimed

Romolo: Romulus

salto: jump

satellitare: satellite (*adj.*)

scoperta: discovery

segno: sign

selezionare: to select

soap opera, *la*: soap opera

sorpreso/a: surprised

sport, *lo*: sport

sposare: to marry

statale: state (*adj.*)

talent show, *il*: talent show

tastiera: keyboard

telecomando: remote control

teledipendente: TV addict

telefilm, *il*: TV series

telegiornale, *il*: news

televisivo/a: TV (*adj.*)

televisore, *il*: TV set

tematica: topic

terrestre: terrestrial

trama: plot

trapassato prossimo: pluperfect

trasmettere (*p.p.* trasmesso): to broadcast

trasmissione, *la*: TV programme

una volta per tutte: once and for all

vantaggio: advantage

varietà, *il*: variety show

vendere: to sell

web Tv: internet TV channels

weekend, *il*: weekend

zapping, *lo*: channel hopping

WORKBOOK

anticipo: early

australiano/a: Australian

ballo: dancing

bambina: girl

bambola: doll

benissimo (*avv.*): very well

caldo: hot

canto: singing

colore, *il*: colour

corda: string

da giovane: as a youngster

dal vivo: live

durare: to last

eliminare: to eliminate

emozionante: exciting

fila: queue

geloso/a: jealous

giuria: judges

incidente, *l'* (*m.*): accident

palcoscenico: stage

pallone, *il*: football

panchina: bench

per fortuna: luckily

pieno/a: full

prova: rehearsal

provino: audition

recitazione, *la*: performance

strumento a corde: string instrument

Toscana: Tuscany

ugualmente (*avv.*): all the same

un paio di: a couple of

Unità 3 – *Ambiente ed ecologia*
STUDENT'S BOOK

abbattuto/a: cut down

accompagnare: to accompany

ad alta voce: out loud

agricolo/a: agricultural

agriturismo: farm holiday

alluminio: aluminium

Alpi, *le*: the Alps

alternativamente (*avv.*): alternatively

Amazzonia: the Amazon

amazzonico/a: Amazon (*adj.*)

ambientalistico/a: environmental

apparecchio: device

appendere (*p.p.* appeso): to hang up

applicare: to apply

aspetto: aspect

associazione, *l'* (*f.*): association

automatico/a: automatic

azienda: company

basso (*avv.*): bottom

basso/a: low

batteria: battery

bomba: bomb

campagna: countryside

campo: field

carriera: career

cassonetto: wheelie bin

catastrofe, *la*: disaster

cattedrale, *la*: cathedral

cattivo/a: bad

centimetro: centimetre

ciclabile: cycle (*adj.*)

colpa: blame

coltivato/a: cultivated

commento: comment

completo/a: complete

consegnare: to hand in

considerato/a: considered

consiglio: advice

consumo: consumption

contrariamente (*avv.*): unlike

corsia: lane

costo: cost

crescita: growth

critico/a: critical

da anni: for years

dare fastidio: to bother

decisione, *la*: decision

didascalia: caption

differenziare: to sort

direttamente (*avv.*): directly

diretto/a: direct

disappunto: disappointment

elettrico/a: electrical

energetico/a: energy (*adj.*)

eolico/a: wind (*adj.*)

essere portato/a: to have a gift

estinto/a: extinct

fan, *il/la*: fan

fare male: to damage

fare shopping: to go shopping

fastidio: nuisance

fenomeno: phenomenon

foresta: forest

fumetto: comic

gettare: to throw away

gioia: happiness

girare: (here) to film

giù (*avv.*): down

governo: government

ideale: ideal

illuminazione, *l'* (*f.*): (here) great idea

in mezzo a: in the middle of

in tempo: in time

incendio: fire

industria: industry

informare: to inform

inizialmente (*avv.*): initially

iniziativa: initiative

inquinamento: pollution

juventino/a: Juventus football team supporter

lago: lake

lampadina: light bulb

lampadina led: LED light bulb

lì (*avv.*): there

macchinetta: machine

manifesto: poster

metro: metre

mezzo pubblico: public transport

milione, *il*: million

Musei Vaticani, *i*: Vatican Museums

natura: nature

noleggiare: to hire

Nord, *il*: North

numeroso/a: numerous

opportunità: opportunity

passo: step

per il momento: for now

percentuale, *la*: percentage

petrolio: oil

piano: piano

piantare: to plant

pista: route

pittura: painting

popolare: popular

possibile: possible

post, *il*: post

posto: place

praticamente (*avv.*): practically

pregare: (here) to ask

previsto/a: planned

principale: main

procedere: to proceed

prodotto: product

prodotto/a: produced

proposta: proposal

protezione, *la*: protection

quasi (*avv.*): almost

quotidiano/a: everyday (*adj.*)

rabbia: anger

raccolta differenziata: differentiated refuse collection

rammarico: regret

rete, *la*: network

richiedere (*p.p.* richiesto): to require

riciclabile: recyclable

riciclaggio: recycling

riciclo: recycling

rifiuto: waste

riscaldamento globale: global warming

riservato/a: reserved

risparmio: saving

rispetto a: compared to

ritorno: return

rivelare: to reveal

salute, *la*: health

salvare: to save

scena: scene

senz'altro: certainly

singolo/a: single

solare: solar

sorpresa: surprise

sostituire: to replace

spiaggia: beach

sporco/a: dirty

stampare: to print

strada: road

talento: talent

tastiera: keyboard

Terra: earth

territorio: territory

tonnellata: ton

tradizionale: traditional

tranquillità: tranquillity

umore, *l' (m.)*: mood

vecchio/a: old

verso: lyric

voce, *la*: voice

volontario: volunteer

WORKBOOK

adattato/a: adapted

biologia: biology

buonissimo/a: very good

calza: sock

cancellare: to cancel

Caspita!: Wow!

catrame, *il*: tar

cemento: cement

comperare: to buy

cortile, *il*: courtyard

cuore, *il*: heart

divertirsi: to have fun

domandare: to ask

eppure: (and) yet

erba: grass

fischiare: to whistle

fragola: strawberry

ingresso: entrance

interrogazione, *l' (f.)*: oral test

intervento: intervention

l'altroieri: the day before yesterday

nudo/a: bare

offerta: offer

paio, *il* (*pl.* le paia): pair

passeggio: walk

pasticceria: cake shop

pesante: heavy

piramide, *la*: pyramid

poverino/a: poor thing

prato: meadow

respirare: to breathe

responsabile, *il/la*: manager

salame, *il*: salami

sassofono: saxophone

scordarsi: to forget

soffiare: to blow

spaghetti alla carbonara, *gli*: spaghetti in a cream and bacon sauce

stamattina (*avv.*): this morning

tromba: trumpet

versione, *la*: version

vetrina: shop window

Unità 4 – *Facciamo spese*
STUDENT'S BOOK

abbigliamento: clothes

abito: clothes

accessorio: accessory

acquisto: purchase

al passo con: up to date with

alla moda: in fashion

alzarsi: to get up

annoiarsi: to get bored

ansia: suspense

appassionato/a: passionate

apprezzato/a: appreciated

attento/a: careful

attualmente (*avv.*): currently

azzurro/a: pale blue

bianco/a: white

blu: blue

borsa: bag

camerino: fitting room

camicetta: blouse

camicia: shirt

capitale, *la*: capital

capo: item

cappello: hat

cartina: map

centesimo: cent

ciò: that

coetaneo/a: peer

collo: neck

colore, *il*: colour

commerciale: commercial

commesso/a: shop assistant

conosciuto/a: known

considerare: to consider

consumatore, *il*: consumer

contrario/a: opposite

conveniente: cheap

criticare: to criticise

dedicare: to dedicate

di moda: in fashion

direttamente (*avv.*): directly

disposto/a: willing

domattina (*avv.*): tomorrow morning

elegante: elegant

esportato/a: exported

facilmente (*avv.*): easily

fare il nome: to say the name

fare spese: to go shopping

felpa: sweat top

fenomeno: phenomenon

fermarsi: to stop

firma: company

firmato/a: designer

fissare: to fix

fondo: end

frenare: (here) to stop

frequentare: (here) to hang out

gelateria: ice-cream parlour

giacca: jacket

giallo/a: yellow

girare: (here) to wander around

giubbotto: blazer

gonna: skirt

grigio/a: grey

in fretta: in a hurry

incontrarsi: to meet

incontro: meeting

indossare: to wear

jeans, *i*: jeans

legge, *la*: (here) rule

linea: line

macché: come off it!

maglietta: t-shirt

marca: brand

marchio: brand

marrone: brown

maturo/a: mature

nemmeno (*avv.*): not even

nero/a: black

noto/a: well-known

occhiali da sole, *gli*: sunglasses

pagare: to pay

pantaloni, *i*: trousers

parecchio/a: a lot of

parlarsi: to speak to one another

partecipazione, *la*: participation

per telefono: by telephone

potersi permettere: to be able to afford

personalmente (*avv.*): personally

portare: to wear

posizione, *la*: position

pratico/a: practical

preciso/a: exact

prezzo: price

promuovere (*p.p.* promosso): to promote

punto: point

quant'è?: how much does it cost?

quanto costa?: how much does it cost?

quanto viene?: how much does it cost?

questionario: quiz

radio, *la*: radio

reciproco/a: reciprocal

relativamente (*avv.*): relatively

resistere (*p.p.* resistito): to resist

riflessivo/a: reflexive

riprendere (*p.p.* ripreso): to come back

rispetto a: compared to

riutilizzo: reuse

rosa: pink

rosso/a: red

saldi, *i*: sales

scambiarsi: to exchange

scarpa: shoe

scelta: choice

sciarpa: scarf

sconto: discount

sentirsi: to feel

sentirsi male: to feel unwell

sfilata: fashion show

shopaholic, *lo/la*: shopaholic

sinonimo: synonym

soldi, *i*: money

somma: amount

spendere (*p.p.* speso): to spend

sporcare: to get dirty

stile, *lo*: style

stilista, *lo/la*: stylist

stretto/a: tight

svolgersi (*p.p.* svolto): to take place

taglia: size

tant'è vero che: to such an extent that

tendenza: trend

tendere (*p.p.* teso): to tend

ti sta bene: it suits you

tribù, *la*: tribe

tuta da ginnastica: tracksuit

unico/a: unique

vedersi: to see one another

vento: wind

verde: green

vestirsi: to dress

WORKBOOK

abbracciarsi: to embrace

accidenti...!: wow!

affare, *l'* (*m.*): deal

amarsi: to love one another

arrabbiato/a: angry

baciarsi: to kiss

comodo/a: comfortable

conoscersi: to know one another

darsi appuntamento: to fix an appointment

dipingere (*p.p.* dipinto): to paint

emozione, *l'* (*f.*): emotion

favoloso/a: fabulous

fidanzato: fiancé

fisso/a: fixed

gelataio: ice-cream seller

giglio: lily

guardarsi: to look at oneself

lacrima: tear

laurearsi: to graduate

matrimonio: wedding

mettersi (*p.p.* messo): to wear

pettinarsi: to brush one's hair

prepararsi: to prepare oneself

provarsi: to try on

responsabile: responsible

ricordo: memory

riportare: to carry

riposarsi: to rest

rosa: rose

scrittore, *lo*: writer

sognare: to dream

specchio: mirror

splendore, *lo*: splendour

sposarsi: to get married

stupendo/a: amazing

Unità 5 – *Facciamo sport*

STUDENT'S BOOK

"da donna": women's

"da uomo": men's

al di fuori di: outside

al massimo: at the most

allegramente (*avv.*): (here) briskly

allenarsi: to train

allenatore, *l'* (*m.*): trainer

amico/a del cuore: best friend

ammirare: to admire

antagonismo: rivalry

arbitro: referee

atleta, *l'* (*m./f.*): athlete

atletica leggera: track and field events

attirare: to attract

attrazione, *l'* (*f.*): attraction

automobilismo: motor racing

basarsi su: to be based on

bruciato/a: burned

calcetto: five-a-side football

calcio: football

campione, *il*: champion

campo: pitch

canestro: basket

ciclismo: cycling

ciclista, *il/la*: cyclist

composto/a: compound (*adj.*) / made up of

conquista: victory

conquistare: to win

continuità: continuity

continuo/a: continual

coppa: cup

coprire (*p.p.* coperto): to cover

d'altra parte: on the other hand

danza: dance

dare in prestito: to loan

dare una mano: to give somebody a hand

di tutti i tempi: of all time

difficoltà: difficulty

Glossary

dispiacere, *il*: displeasure

dolore, *il*: pain

duro/a: hard

entusiasmo: enthusiasm

esagerare: to go over the top

esperimento: experiment

europeo/a: European

faccia: face

far vedere: to show

fare il tifo: to be a fan

farsi male: to hurt oneself

favore, *il*: favour

film horror, *il*: horror film

fiorentino/a: Florentine

fonte, *la*: source

forte, *il*: strong point

ginnastica: gymnastics

ginocchio: knee

giocato/a: played

giro: tour

grave: serious

importanza: importance

in realtà: in reality

informare: to inform

lentamente (*avv.*): slowly

logico/a: logical

mantenersi: to keep (fit etc.)

medicina: medication

Medioevo: Middle Ages

misto: mixture

mito: myth

mondiale: world (*adj.*)

mondiale, *il*: world championships

né... né...: neither... nor...

nuoto: swimming

olimpionico, *l'* (*m.*): Olympic champion

ospedale, *l'* (*m.*): hospital

ospitare: to host

ospite, *l'* (*m./f.*): guest

ottenere: to obtain

pallacanestro, *la*: basketball

pallanuoto, *la*: water polo

pallavolo, *la*: volleyball

pallone, *il*: ball

parere, *il*: opinion

pendente: leaning

pigro/a: lazy

pomata: ointment

popolare: popular

porta: goal

praticare: to practise

praticato/a: practised

prendere in giro: to tease

preoccuparsi: to worry

prestare: to loan

prestito: loan

quartiere, *il*: district

record, *il*: record

rete, *la*: net

rimanerci male: to take something badly

rimettersi: to recover

rubare: to steal

rugby, *il*: rugby

scaricare lo stress: to let off steam

scusa: excuse

sesso: sex

Settecento: 18th century

skateboard, *lo*: skateboard

soddisfazione, *la*: satisfaction

sostegno: support

sostenitore, *il*: supporter

specialmente (*avv.*): particularly

spettatore, *lo*: spectator

storico/a: historical

successo: success

telespettatore, *il*: viewer

tenersi: to keep (fit etc.)

tennis, *il*: tennis

tifare: to support (sports team etc.)

tifoso: fan

tiro: shot

titolo: title

tradizione, *la*: tradition

trasmettere (*p.p.* trasmesso): to convey

Trecento: 14th century

urlare: to shout

valore, *il*: value

vittoria: victory

WORKBOOK

aggiustare: to fix

al coperto: indoor

all'aperto: outdoor

allenare: to train

avversario/a: opponent

buona giornata: good day

dritto (*avv.*): straight

far parte di: to be part of

giocatrice, *la*: female player

giudice, *il/la*: judge

individuale: individual

lanciare: to throw

maglietta: t-shirt

maniera: way

mostrare: to show

preoccupato/a: worried

racchetta: racket

rotondo/a: round

si riferisce a: refers to

tirare: to kick

Unità 6 – *L'ora della verità!*
STUDENT'S BOOK

a destra: to the right

a parte: apart

a sinistra: to the left

acceso/a: switched on

adorare: to love

amato/a: loved

ansioso/a: nervous

appassionare: to move

applauso: applause

attendere (*p.p.* atteso): to wait

autore, *l'* (*m.*): author

calmarsi: to calm down

cantautore, *il*: singer-songwriter

carta: paper

casuale: random

cielo: sky

classifica: chart

collezione, *la*: collection

colpa: fault

commentare: to comment

commissione, *la*: panel

comporre (*p.p.* composto): to compose

condizione, *la*: condition

cuffia: headphone

deluso/a: disappointed

digitare: to press

economico/a: cheap

effetto: effect

entro: by

estero: abroad

etnico/a: ethnic

fare del proprio meglio: to do one's best

fumare: to smoke

girare: to turn / to film

idolo: idol

imperativo: imperative

impostare: to set

in caso di...: in the case of...

in piedi: standing

incendio: fire

incrocio: crossroad

indicazione, *l'* (*f.*): direction

inglese, *l'* (*m.*): English

istruzione, *l'* (*f.*): instruction

lasciare stare: to leave somebody be

leggenda: legend

lettore mp3, *il*: mp3 player

luce, *la*: light

magico/a: magical

melodico/a: melodic

multimediale: multimedia

negativo/a: negative

novità: (here) new release

numero verde: free-phone number

particolarmente (*avv.*): particularly

passaggio: lift

pausa: break

poiché: because

premere: to press

premiare: to award a prize

presentatore, *il*: presenter

presenza: presence

proposta: (here) talent

protagonista, *il/la*: protagonist

provocare: to cause

pubblicare: to publish

pubblico: public

raccomandazione, *la*: recommendation

regista, *il/la*: director

riempirsi: to fill

rigore, *il*: penalty

riproduzione, *la*: (here) play

ritmico/a: rhythmic

romanzo: novel

schermo: screen

schiuma: foam

scollegare: to disconnect

sedersi: to sit down

segnale, *il*: signal

semaforo: traffic light

senso: sense

sequenza: sequence

serata: evening

set, *il*: set

sezione, *la*: section

sincronizzazione, *la*: synchronisation

soddisfatto/a: satisfied

solitudine, *la*: loneliness

sopportare: to be able to stand something

spagnolo: Spanish

stampa: print

stradale: street (*adj.*)

stressato/a: stressed

tasto: button

tourneé, *la*: tour

traduzione, *la*: translation

uscita di emergenza: emergency exit

videocamera: video camera

vietato/a: forbidden

volume, *il*: volume

WORKBOOK

adattare: to adapt

avviso: notice

battaglia navale: Battle Ships

calmo/a: calm

ce l'ha fatta (*inf.* farcela): he made it

che forza!: (here) how cool!

cittadino: citizen

colpire: to hit

comune, *il*: municipality

finale, *il*: final

lento/a: slow

microfono: microphone

missile, *il*: missile

profondamente (*avv.*): deeply

proibire: to ban

pubblico/a: public

rimettere (*p.p.* rimesso): to put back

ritmo: rhythm

scaricato/a: downloaded

secchione, *il*: nerd

sirena, *la*: mermaid

somma: sum

T.V.B. (ti voglio bene): I <heart> U (I love you)

tema, *il*: topic

totale, *il*: total

venduto/a: sold

vincita: winnings

MINITEST

abbassare: to turn down

amicizia: friendship

assistere (*p.p.* assistito): to attend

difendere (*p.p.* difeso): to defend

inquinare: to pollute

motore, *il*: motor

noioso/a: boring

reale: real

riutilizzare: to reuse

ruota: wheel

sole, *il*: sun

verbale: verb (*adj.*)

Grammatica@junior

Unità 2 – *Televisione*

burattino: puppet

Unità 3 – *Ambiente ed ecologia*

cioccolatino: chocolate

tavolino: table

Unità 5 – *Facciamo sport*

bugia: lie

Unità 6 – *L'ora della verità!*

disegno: drawing

frutta: fruit

ATTIVITÀ VIDEO

accidenti: damn!

autografo: autograph

ballerino: dancer

che c'entra: what does it have to do with anything?

consolle, *la*: console

contare: to count

corsa: running

curriculum, *il*: CV

dirigere (*p.p.* diretto): to manage

è fatta!: done it!

film giallo, *il*: crime film

fotogramma, *il*: photo

impegno: commitment

improbabile: improbable

mannaggia: damn

razzo: rocket

richiesta: request

riscaldamento: warm-up

riservato/a: reserved

segretaria: secretary

stancarsi: to get tired

tranquillamente (*avv.*): calmly

volontariato: volunteering

Index

Index

Answers to the Autovalutazione and Minitest

Prima di... cominciare

1. 1.b, 2.d, 3.a, 4.e, 5.f, 6.c
2. 1.scrive, il; 2. chiacchiera, la; 3. fai, vieni; 4. vuole, può; 5. esce, il; 6. sapete, la
3. 1.c, 2.d, 3.a, 4.e, 5.g, 6.h, 7.f, 8.b
4. 1.b, 2.f, 3.e, 4.a, 5.c, 6.d
5. 1. materie; 2. simpatica; 3. navigare; 4. appuntamento; 5. secondo, contorno; 6. camera
6. 1. È stato, 2. è iniziato, 3. è arrivato, 4. abbiamo parlato, 5. ha passato, 6. è andata, 7. ha detto, 8. ha perso, 9. sono potuti, 10. è stato

Autovalutazione

Unità 1

1. 1. c, 2. d, 3. e, 4. a, 5. b
2. 1. b, 2. d, 3. e, 4. c, 5. a
3. 1. ottimista; 2. verrai; 3. Bilancia, Leone; 4. timido; 5. berremo
4. 1. segno, 2. Chiaro!, 3. sarà venuto, 5. calcio

Unità 2

1. 1. d, 2. e, 3. b, 4. a, 5. c
2. 1. c, 2. d, 3. e, 4. a, 5. b
3. 1. puntata, 2. telegiornale, 3. creativa , 4. concorso, 5. oroscopo
4. Segni zodiacali: gemelli, acquario, toro; Programmi televisivi: telefilm, telegiornale, cartone animato

Unità 3

1. 1. c, 2. e, 3. b, 4. a, 5. d
2. 1. e, 2. d, 3. b, 4. c, 5. a
3. 1. d, 2. b, 3. a, 4. c
4. 1. ne, 2. l'ho visto, 3. li hai trovati, 4. stamparli, scriverli

Unità 4

1. 1. d, 2. e, 3. c, 4. b, 5. a
2. 1. c, 2. a, 3. b, 4. e, 5. d
3. 1. eolica, 2. abbigliamento, 3. riciclaggio, 4. sciarpa, 5. sconto
4. 1. radio, 2. ti alzi, 3. capelli, 4. stretto

Unità 5

1. 1. c, 2. d, 3. b, 4. e, 5. a
2. 1. d, 2. c, 3. e, 4. a, 5. b
3. 1. Automobilismo, 2. Pallavolo, 3. Calcetto, 4. Pallacanestro
4. Pronomi diretti: la vedo, ti sento; Pronomi riflessivi: si sveglia, si sente; Pronomi indiretti: le racconto, ti piace

Unità 6

1. 1. b, 2. d, 3. a, 4. e, 5. c
2. 1. c, 2. e, 3. d, 4. a, 5. b
3. 1. campo, 2. allenatore, 3. incrocio, 4. concerto, 5. autore
4. 1. guardalo!, 2. fermata, 3. ciclismo, 4. partita

Minitest

Unità 1

Across: 3. canzone, 5. musicale, 6. gemellaggio, 7. strumento, 9. avanti, 10. futuro
Down: 1. sarà, 2. ambientale, 4. ecologia, 8. avrai

Unità 2

Across: 3. canali, 6. preparava, 8. d'accordo, 9. terzo
Down: 1. mentre, 2. faceva, 4. peccato, 5. reality, 6.ciclo, 7. tornavo

Unità 3

Across: 3. riciclare, 4. bicicletta, 5. fastidio, 8. tastiera, 9. consumo, 10. lo
Down: 1. risparmio, 2. elettrica, 6. raccolta, 7. basso

Unità 4

Across: 2. grigio, 5. appuntamento, 6. costa, 7. moda, 8. vestirsi, 9. maglione
Down: 1. giallo, 2. spese, 3. commerciale, 4. ne

Unità 5

Across: 3. forma, 4. tuta, 7. consiglio, 8. prova, 9. dispiace, 10. partita
Down: 1. tifoso, 2. nuoto, 5. squadra, 6. le

Unità 6

Across: 3. farai, 6. volume, 7. uso, 9. calmati, 10. colpa
Down: 1. tasto, 2. finisci, 4. pubblico, 5. scaricare, 8. cuffie

Audio CD index

Audio CD Index

Unità 1

Traccia **1**: Prima parte - Per cominciare... 2 [1'45"]
Traccia **2**: esercizio 2 [1'19"]
Traccia **3**: Seconda parte - A2 [1'37"]
Traccia **4**: Seconda parte - B3 [1'47"]
Traccia **5**: esercizio 14 [2'08"]

Unità 2

Traccia **6**: Prima parte - Per cominciare... 3 [1'50"]
Traccia **7**: Prima parte - Per cominciare... 4 [1'08"]
Traccia **8**: Prima parte - B1 (1, 2, 3, 4, 5, 6) [1'34"]
Traccia **9**: esercizio 10 [0'50"]
Traccia **10**: Seconda parte - A2 [1'49"]
Traccia **11**: Seconda parte - B2 [2'19"]
Traccia **12**: Seconda parte - C3 [1'19"]

Unità 3

Traccia **13**: Prima parte - Per cominciare... 3 [1'49"]
Traccia **14**: Prima parte - B1 (a, b, c, d, e, f, g) [1'21"]
Traccia **15**: Seconda parte - A1 [2'12"]
Traccia **16**: Seconda parte - B2 (1, 2, 3, 4, 5, 6) [1'43"]
Traccia **17**: Seconda parte - D1 [2'05"]

Unità 4

Traccia **18**: Prima parte - Per cominciare... 3 [1'59"]
Traccia **19**: Prima parte - B1 (a, b, c, d) [1'05"]
Traccia **20**: Seconda parte - A1 [2'05"]
Traccia **21**: esercizio 10 [1'12"]
Traccia **22**: Seconda parte - E1 [1'36"]

Unità 5

Traccia **23**: Prima parte - Per cominciare... 3 [2'02"]
Traccia **24**: Prima parte - B1 [0'54"]
Traccia **25**: Seconda parte - A1 [1'37"]
Traccia **26**: Seconda parte - D1 [1'27"]

Unità 6

Traccia **27**: Prima parte - Per cominciare... 3 [1'52"]
Traccia **28**: Prima parte - B1 (a, b, c, d, e, f, g, h) [1'43"]
Traccia **29**: esercizio 6 [0'47"]
Traccia **30**: Seconda parte - A1 [2'07"]
Traccia **31**: Seconda parte - B1 (a, b, c) [1'21"]
Traccia **32**: esercizio 13 [2'11"]

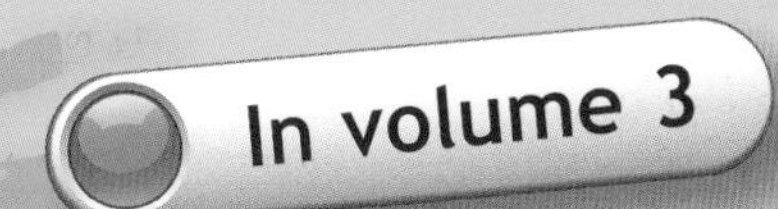

one of our friends will fall in love!
Who? Who will he or she fall in love with? How will the story end?
This and many other adventures await you in...

(for English speakers)

(Alternatively, you could continue learning with the help of *The Italian Project 2a*!)

edizioni Edilingua

Nuovo Progetto italiano 1 T. Marin - S. Magnelli
Corso multimediale di lingua e civiltà italiana
Livello elementare (A1-A2)
Nuovo Progetto italiano 2 T. Marin - S. Magnelli
Corso multimediale di lingua e civiltà italiana
Livello intermedio (B1-B2)
Nuovo Progetto italiano 3 T. Marin
Corso multimediale di lingua e civiltà italiana
Livello intermedio - avanzato (B2-C1)
Nuovo Progetto italiano Video 1, 2
T. Marin - M. Dominici
Videocorso di lingua e civiltà italiana
Livello elementare - intermedio (A1-B2)
Progetto italiano Junior 1, 2, 3 T. Marin - A. Albano
Corso multimediale di lingua e civiltà italiana
Livello elementare - intermedio (A1-B1)
Progetto italiano Junior Video 1, 2, 3
T. Marin - M. Dominici
Videocorso di lingua e civiltà italiana
Livello elementare - intermedio (A1-B1)
Allegro 1 L. Toffolo - N. Nuti
Corso multimediale d'italiano. Livello elementare (A1)
That's Allegro 1 L. Toffolo - N. Nuti
An Italian course for English speakers
Elementary level (A1)
Allegro 2 L. Toffolo - M. G. Tommasini
Corso multimediale d'italiano
Livello elementare (A2)
Allegro 3 L. Toffolo - R. Merklinghaus
Corso multimediale d'italiano. Livello intermedio (B1)
La Prova Orale 1, 2 T. Marin
Manuale di conversazione
Livello elementare - intermedio - avanzato (A1-C2)
Vocabolario Visuale T. Marin
Livello elementare (A1-A2)
Vocabolario Visuale - Quaderno degli esercizi
T. Marin. Attività sul lessico
Livello elementare (A1-A2)
Primo Ascolto T. Marin
Materiale per lo sviluppo della comprensione orale
Livello elementare (A1-A2)
Ascolto Medio T. Marin
Materiale per lo sviluppo della comprensione orale
Livello intermedio (B1-B2)
Ascolto Avanzato T. Marin
Materiale per lo sviluppo della comprensione orale
Livello avanzato (C1-C2)
Scriviamo! A. Moni
Attività per lo sviluppo dell'abilità di scrittura
Livello elementare - intermedio (A1-B1)
Sapore d'Italia M. Zurula
Antologia di testi. Livello intermedio (B1-B2)
Diploma di lingua italiana A. Moni - M. A. Rapacciuolo. Preparazione alle prove d'esame
Livello intermedio (B2)
Preparazione al Celi 3 M. A. Rapacciuolo
Livello intermedio (B2)
Al circo! B. Beutelspacher
Italiano per bambini. Livello elementare (A1)
Forte! 1, 2, 3 L. Maddii - M. C. Borgogni
Corso di lingua italiana per bambini (6-11 anni)
Livello elementare (A1-A2)
Collana Raccontimmagini S. Servetti
Prime letture in italiano. Livello elementare (A1-A1+)
Via della Grammatica M. Ricci
Livello elementare - intermedio (A1-B2)
Una grammatica italiana per tutti 1, 2
A. Latino - M. Muscolino
Livello elementare - intermedio (A1-B2)
I verbi italiani per tutti R. Ryder
Livello elementare - intermedio - avanzato (A1-C2)
Raccontare il Novecento P. Brogini - A. Filippone - A. Muzzi. Percorsi didattici nella letteratura italiana
Livello intermedio - avanzato (B2-C2)
Invito a teatro L. Alessio - A. Sgaglione
Testi teatrali per l'insegnamento dell'italiano a stranieri. Livello intermedio - avanzato (B2-C2)
Mosaico Italia M. De Biasio - P. Garofalo
Percorsi nella cultura e nella civiltà italiana
Livello intermedio - avanzato (B2-C2)
L'Italia è cultura M. A. Cernigliaro
Collana in 5 fascicoli: Storia, Letteratura, Geografia, Arte, Musica, cinema e teatro (B2-C1)
Collana Primiracconti
Letture graduate per stanieri
Traffico in centro (A1-A2) M. Dominici
Mistero in Via dei Tulipani (A1-A2) C. Medaglia
Un giorno diverso (A2-B1) M. Dominici
Il manoscritto di Giotto (A2-B1) F. Oddo
Lo straniero (A2-B1) M. Dominici
L'eredità (B1-B2) L. Brisi
Il sosia (C1-C2) M. Dominici
Collana Cinema Italia A. Serio - E. Meloni
Attività didattiche per stranieri
Livello elementare - intermedio - avanzato (A2-C2)
Collana Formazione
italiano a stranieri
Rivista quadrimestrale per l'insegnamento dell'italiano come lingua straniera/seconda

Progetto italiano Junior 2 for English speakers is complemented by:

The *Primiracconti* series, graded reading for foreigners.
Mistero in Via dei Tulipani (A1-A2) is a gripping story full of dramatic twists and turns, which unfolds inside an apartment block. It all starts with the murder of Mr Cassi, who lives on the second floor: two sixteen-year-olds, Giacomo and Simona, decide to hunt down the killer. Their sleuthing doesn't just lead them to the killer – they also find love along the way.
Mistero in Via dei Tulipani is available with or without an audio CD and has a section packed with stimulating activities, the answers to which are provided in the Appendix.

ISBN 978-960-693-013-3 (Libro)
ISBN 978-960-693-015-7 (Libro+CD audio)

Vocabolario Visuale
An effective tool for those wanting to learn basic Italian vocabulary.
Using 40 themed units and original, eye-catching graphics (a combination of photos and three dimensional illustrations), it presents over 1000 everyday words:
Nouns, verbs, adjectives and prepositions. *Vocabolario Visuale*, which can be used both in class and by students on their own at home, is accompanied by:

- 1 Audio CD, to make learning Italian pronunciation easier.
- A *Workbook*, also divided into 40 themed units plus final summing up exercises, that provides a wide range of brief activities aimed at helping students to memorise the words (matching words to pictures, filling in missing letters, multiple choice questions, game activities, etc.).
- A *Teacher's book*, structured and presented in exactly the same way as the Student book, but with the answers to all the exercises.

ISBN 978-960-7706-50-8 (Libro)
ISBN 978-960-7706-51-5 (Quaderno)

MUSICA@PROGETTO JUNIOR!
(www.musicaperjunior.blogspot.com)
A blog specifically designed for young people learning Italian, who want to learn whilst having fun and... whilst singing!
The blog contains the videos of famous Italian songs that you can use to practice your knowledge of Italian and expand on some of the topics covered in *Progetto italiano Junior*.
Students can do these activities on their own or in class. All you need is an internet connection.

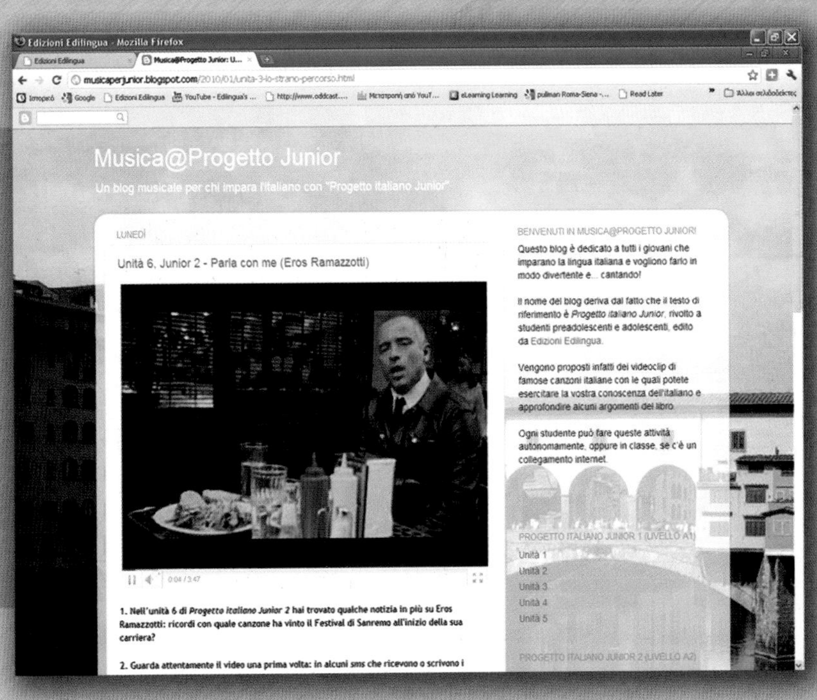

Progetto italiano Junior 2 for English speakers is complemented by:

ISBN 978-960-6632-17-4 (Libro)
ISBN 978-960-6632-77-8 (Libro+CD audio)

The *Primiracconti* series, graded reading for foreigners.
Traffico in centro (A1-A2), set during a hot September morning, tells the story of the friendship between Giorgio (a university law student) and Mario (a well-known and serious lawyer), born following a road accident in the centre of Milan. For Giorgio, Mario is exactly what he aspires to be "when he grows up", whilst Giorgio reminds Mario of the carefree and jovial young man he used to be when he was young...
Traffico in centro is available with or without an audio CD and has a section packed with stimulating activities, the answers to which are provided in the Appendix.

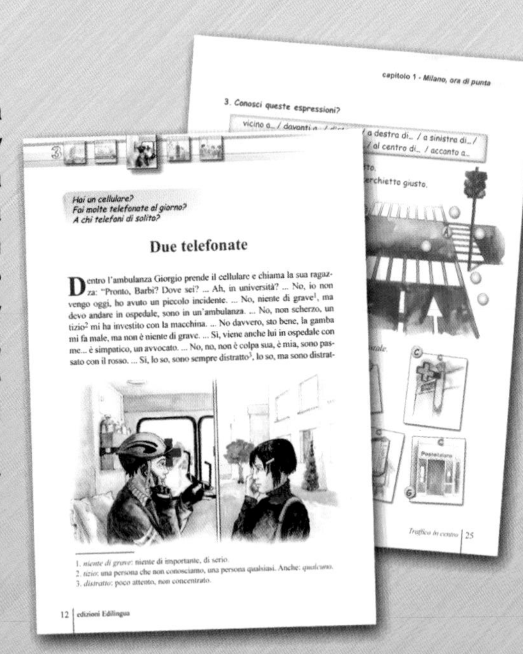

3. Conosci queste espressioni?

Hai un cellulare?
Fai molte telefonate al giorno?
A chi telefoni di solito?

Due telefonate

Dentro l'ambulanza Giorgio prende il cellulare e chiama la sua ragazza: "Pronto, Barbi? Dove sei? ... Ah, in università? ... No, io non vengo oggi, ho avuto un piccolo incidente. ... No, niente di grave[1], ma devo andare in ospedale, sono in un'ambulanza. ... No, non scherzo, un tizio[2] mi ha investito con la macchina. ... No davvero, sto bene, la gamba mi fa male, ma non è niente di grave. ... Sì, viene anche lui in ospedale con me... è simpatico, un avvocato. ... No, no, non è colpa sua, è mia, sono passato con il rosso. ... Sì, lo so, sono sempre distratto[3], lo so, ma sono distrat-

1. *niente di grave*: niente di importante, di serio.
2. *tizio*: una persona che non conosciamo, una persona qualsiasi. Anche: *qualcuno*.
3. *distratto*: poco attento, non concentrato.

12 | edizioni Edilingua

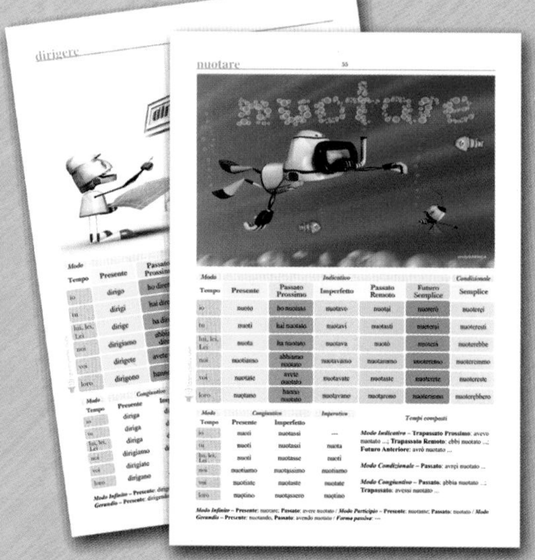

dirigere

nuotare

I verbi italiani per tutti

This book uses a "multimedia" approach to present around 100 of the most commonly used Italian verbs. It provides the conjugation of each verb in all the tenses and moods, clearly presented in two easy-to-read, coloured tables. Every verb is also accompanied by an illustration that presents it being enacted, and students can even listen to how the conjugated verb is pronounced by going online.
Furthermore the book contains a comprehensive Appendix with more irregular verbs, a list of verbs with the prepositions they require, and a multilingual glossary (English, French, Spanish, Portuguese and Chinese).

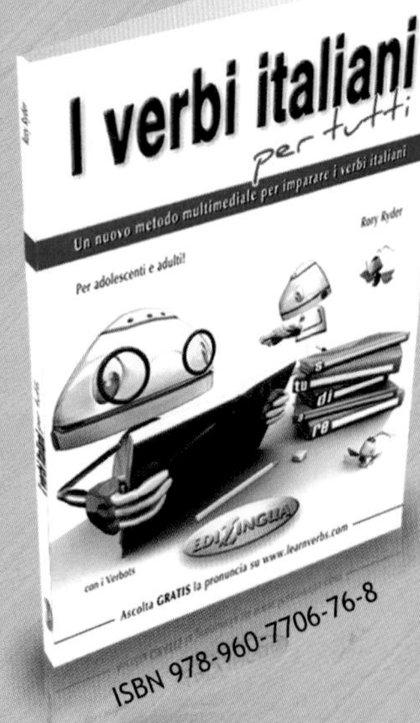

ISBN 978-960-7706-76-8

ISBN 978-960-693-050-8

Via della Grammatica for English speakers (A1-B2)

This book provides valuable support to *Progetto italiano Junior 1* and 2. The book contains 40 units, practice activities and self-assessment tests - all in full colour. Each unit uses simple language and numerous examples to address one or more aspects of grammar, before providing activities that are stimulating and fun. Vocabulary is introduced gradually and authentic texts, on a variety of cultural, literary or everyday topics, offer students the chance to enrich and deepen their knowledge of Italy.
The book includes the answers, which are undoubtedly a necessary element for self-teaching and assessment.

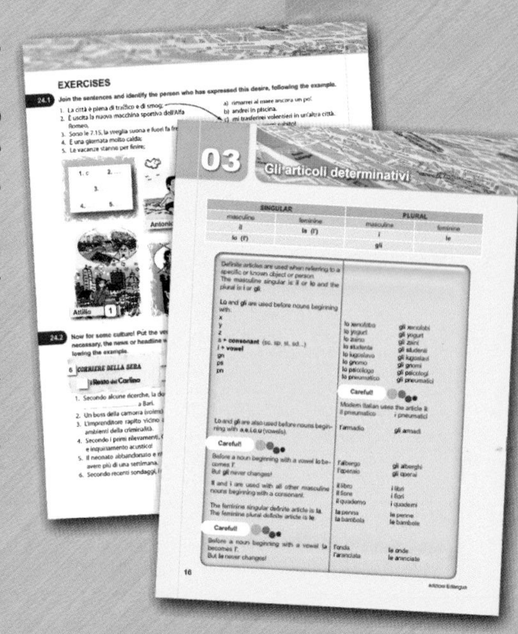

EXERCISES

03 Gli articoli determinativi